光文社文庫

田村はまだか

朝倉かすみ

光　文　社

目次

田村はまだか

第一話　田村はまだか

札幌である。ススキノである。一杯のみ屋やスタンドが重なるように軒をつらねる狭っ苦しい小路《こうじ》である。黄色いにおいがする。小水《しょうすい》や嘔吐物《おうとぶつ》の臭気がそこはかとなくただようこの道筋に奥まって、スナック・バーが一軒ある。二階建ての建物の、小路に面した一階だ。十坪《とつぼ》ほどの店だった。

小ぶりの看板を掲げている。付箋《ふせん》みたいに軒から少し張りだした四角いネオンサインには白地に黒で「チャオ！」とある。シックだが、あまり目立たない。その下にイタリア語で書かれた「ciao!」は、もっと目立たない。

「チャオ」は、「おはよう」「こんにちは」「さようなら」などを兼ねる挨拶語だが、兼ねすぎでは、と、花輪春彦《はなわはるひこ》は思っている。たった一語に、そんなに兼ねることはないだろう。とはいえ、出会いと別れがたった一語でこと足りるのはわるくないとも思うのだった。

花輪春彦は、スナック「チャオ！」のマスターである。ぱらりとはやした無精髭《ぶしょうひげ》が粋な感じの四十六歳。一昨年、煙草をやめた。会社を辞めたのも一昨年だった。妻との別れも、その原因となった若い女との浮気も同じ年だったから、激動の一年だった。

今、午前零時少し前。ひとりの男がカウンターに肘をつき、「夜空ノムコウ」を歌い終えた。連れの数人が盛大な拍手を送っている。

男三人、女ふたりのグループだ。かれらが今夜のカウンター席を占めている。ふたつのボックス席はあいていたが、「チャオ！」としては、まずまずの入りだった。

カウンター席のグループは、クラス会の三次会であるらしい。引き連れてきたのは、永田一太《ながたいちた》。常連の会社員だ。飲料を製造販売する会社の支社で営業をやっている。

七時スタートのクラス会は九時すぎにいったんおひらきとなり、ほとんど全員がカラオケボックスに流れたようだ。のんで歌って騒いでいるうち、十一時を回った。地下鉄最終を気にする者が現れて、ひとりふたりと欠けていった。みんな、ずいぶん行儀がよくなったものだな、と、意気盛んな長っ尻の有志五名でスナック「チャオ！」に乗り込んできたと、どうも、こういう次第らしい。

丙午《ひのえうま》の生まれというから、面々の齢《とし》のころは満《まん》で四十。なるほど、「夜空ノムコウ」を聞けば、目頭が熱くなるわけだ。花輪春彦は顎をざらりと撫で上げた。小学校のクラス会の三次会なら尚更だろうと思われる。「あのころの未来に、ぼくらは立っているのかなあ」と歌うのが音痴で名高い永田一太だとしても、胸に迫ってくるものがあるのだろう。男どもはさりげなく洟《はな》を啜《すす》り、女たちも唇をちょっと噛みしめている。男と女ではなく、男子と女子の風情である。

皆、酔っていた。永田一太のボトルはＪ＆Ｂ。残量はあとわずかだった。

「田村はまだか」

男のひとりが声を張った。

欠勤した担任の代わりでやってきた教頭に、「自習、自習」と机を揺すりながら申し入れる腕白小僧のような声だった。

「遅いぞ、田村」

もうひとりが声を上げる。

こちらの声は鼻にかかっていた。口調もふくめて、マーロン・ブランドに似ている。「ゴッドファーザー」におけるビト・コルレオーネの矮小版《わいしょうばん》といったふうだ。

「なにやってんのよ、田村」

髪の短いほうの女が笑う。この女はのみっぷりがよかった。ウイスキーは苦手だといって、「いいちこ」を呑《や》っている。

「田村、遅すぎない？」

真んなかで分けた長い髪を払って、べつの女が頬杖をつく。かのじょはヱビスをのんでいた。ウイスキーも焼酎もきらいだという。

「ほんとにくるんだろうな」

「田村はまだか」と声を張った腕白男が永田一太に訊く。コルレオーネも身を乗りだす。男三人はＪ＆Ｂをのんでいたが、かれらのグラスは氷ばかりとなっている。

「列車が遅れているらしいんだよ」

永田一太のいいわけめいた発言を、花輪春彦は耳を揉みながら聞いた。カウンターの奥で、丸椅子に腰かけ、足を組んでいる。首をひねって、背面の棚に目をやった。小型のトランジスタ・ラジオがある。スイッチを入れてニュースを聞かせてやろうかと思ったが、やめた。

三月四週の金曜日だった。嵐ともいうべき荒天の日でもあった。陸海空の交通が断絶していたのは午後三時くらいまでだったが、全面回復には至っていない。

「飛行機が、まず、遅れに遅れたっていうんだよ」

永田一太が、上着の内ポケットから携帯を取りだした。千歳《ちとせ》に着いたのが結局十一時すぎだったらしい、と、「田村」からとおぼしきメールを見せる。

腕白とコルレオーネがひたいを寄せて永田一太の携帯を覗き込んだ。いいちことエビスも化粧浮きした顔をかたむけ、流し目みたいなまなざしで携帯を窺《うかが》う。

「こっちに向かってるのは間違いないってことでいいんだな」

腕白が念を押した。カウンターに前腕を載せ、上体を揺すりながら、もう、何遍も同じことをいっている。

「そろそろ列車に乗っているころだろう」

快速エアポート号だ、と永田一太が携帯をポケットにしまいながら、力強く答える。

次はコルレオーネが感に堪えないふうに「久しぶりだなあ」という番だぞ、と花輪春彦が思ったら、予想通りだった。ただし、感に堪えないの「感」は着実に深まっているようだ。

さて、お次は、といいちこに目を向けたら、やっぱり、いいちこが口をひらいた。

「卒業式以来だから、二十八年ぶり？」

そして、ここでエビスがため息をつくんだ。

で、腕白がもう一度、あの科白《せりふ》をいう。

憤懣《ふんまん》やるかたない、みたいにこぶしを握り、しかし、満面に笑みをたたえ、その科白をいえる今このときが愉快でならぬように。

「田村はまだか」

花輪春彦は足を組み替えて、こっそり、笑った。

普段は客の話など聞いていないような顔をすることにしていた。話題を振られないかぎり、口を挟まないようにしている。

それでも客の話は耳に入ってくるし、それに対してなにかひとこといいたくなるときもある。奇妙に胸に残り、そこから微細なあぶくが立ってくるようなことばを耳にすることもある。

店を閉めたあと、かれはそのことばを帳面に書きつけていた。黒い表紙のばね式帳面は、カウンター下の冷蔵庫に載せてある。酔客のかわすよしなしごとの断片が、そこにしたためられていた。

たとえば、十一月二十一日だ。通称マルさんの言。

マルさんは新聞販売店をやっている。バイトが居着かないのが目下の悩みらしい。ひとことの断りもなく、ある日突然こなくなる青少年が急増中のこともあり、マルさんは、「めっこめし（なま煮えのごはん）」みたいなバイトに、本意ではないが気をつかう毎日を送っている。

「醬油煎餅でさ、片面にザラメがまぶしてるやつ、あるだろ？　おれは、元来、ああいうのが気に入らねえたちでね。甘いなら甘い、しょっぱいならしょっぱい、と態度をはっきりさせるのが、ほんとは好きなんだ」

あるいは、十二月二十四日。佐伯くんの意見。

クリスマス・イブに浮かれる恋人同士および仲よし家族を尻目にスナック「チャオ！」にその夜つどった客のひとりが歌う「明日があるさ」を受けてのひとこと。佐伯くんは三十七歳。八畳一間に暮らす独身である。

「明日、明日って気安くいうけどさ、なんで、明日がかならずくるって信じられるのかねえ。だいたい、明日っていつからなわけ？　午前一時の今は明日なわけ？　え？　どうなの？」

花輪春彦は、うつむいて笑った。耳に手をやる。かれは副耳《ふくじ》だった。副耳とは、耳の穴の入口の前や上にできる皮膚の突起物のことだ。かれのそれは耳の穴の入口の前にあった。適度に軟らかい。引っ張ると弾力を保ちつつ伸びる。その感触が独特に面白いので、左耳を触るのは、かれの癖になっている。

カウンターの五人は沈黙していた。それぞれの顔をしている。思い思いに想起しているのだろう、「田村」を。

「マスター」

永田一太に呼びかけられ、半拍遅れて返事をした。マスターと呼ばれるのには、もう、慣れたつもりだったのだが。

「J&B」

ボトルを入れてもらえるのはありがたかった。機敏な動作で立ち上がり、カーテンをくぐって店の奥に引っ込んだ。かれらが腰を落ち着けて、「田村」を待つ気でいるのだろうと思い至れば、足取りが軽くなる。妙にいい心持ちになっていた。露草を摘めば雨がふるといった迷信を検証するような、わくわくする感じ、が、胸のうちにのぼっている。ニューボトルの売上だけが理由ではなさそうだ。

新しいJ&Bをカウンターに置き、さりげないふうを装って花輪春彦はいった。

「田村ってひと、まだですかね」

カウンターの五人がいっせいに顔を上げた。見る間に相好《そうごう》をくずし、くちぐちに「田村」を語り始める。

田村久志《ひさし》には、父親がいなかった。

離婚によるものではない。かれは母とふたりで暮らしていた。

住まいは、小学校から徒歩で十五分ほどのところにあった。三棟つづきの木造平屋の真んなかである。この三棟は窪地に建っていた。足の太い野良犬が数頭いて、あちこちに穴を掘っていた。野良犬は犬というより、オオカミみたいな顔つきをしていた。牙を剝きだし、よだれを垂らし、低いうなり声を始終立てていたので、大人も子どもも恐れていた。

三棟つづきの木造平屋は、たいそう古く、家屋じたいがかしいでいた。一方向にかたむいているのではなかった。雨風に殴られるなりになっているようなかしぎようだ。野良犬といい、廃屋じみたようすといい、肝試《きもだめ》しにはもってこいの、それでも、ひとが住んでいるから「家」だった。

田村久志の服装は通年、ジャージだった。桃色だったり、青だったり、紫だったりした。

いずれも誰かのおさがりのようだった。洗濯時の注意事項が書かれたタグに、なにのなにべえと油性マジックで赤の他人の氏名が記入されているのを、腕白、コルレオーネ、永田一太が目撃している。身体検査のときだ。

田村久志の頭髪はつねに虎刈りだった。隣家のじいさんに、年代物のバリカンで刈ってもらっているらしかった。

家の前で椅子に座り、ふろしきを首に巻いて、じいさんに頭をやってもらう田村久志を見かけたことがあるのはコルレオーネだ。田村久志は「いてえ。いてえよ、じじい」と声を上げていたそうである。じいさんは笑って取り合わず、田村久志だって本気で文句をいっているのではなさそうだった。ふたりの周りで野良犬たちが睨みをきかせていた。

田村久志の母はろくでなしだというのが、大人たちの一定した評価だった。

男を取っかえ引っかえしちゃあ、捨てられる哀れな女だといっていたのは、いいちこの母である。化粧だけはちゃんとしていたわね、と、これはエビスの証言だ。田村久志の母親は、ネグリジェのまんま外をほっつき歩いていても、真っ青なアイシャドウと真っ赤な口紅は欠かさなかったらしい。

特筆すべきは、やはり異性関係だった。運動会、学芸会、父親参観日に連れてくる男の顔ぶれが多彩だった。

かのじょは派手な幾何学柄のスカーフで頭を覆い、顎の下でふわりと蝶結びにし、ばかに大きなサングラスをかけ、模造真珠の首飾りをじゃらりと下げて、黄色やショッキングピンクのスーツに豊満な肉体をぎゅうぎゅうに押し込んでは、「今の男」をともなって、意気揚々と小学校にやってきた。

（でも、今にして思えば、足のかたちはちょっとしたものだった、というのは永田一太の意見）（あのくずれっぷりも、そそられるっちゃあ、そそられるかも、と、これはコルレオーネの意見）（そういわれりゃそうかもなと腕白）（人生至るところセクシーありね、と鼻を鳴らしたのはいいちこ）（エビスも同調）

田村久志は、かのじょの自慢のひとり息子であったのだった。

かれは勉強ができたし、駆けっこも速かった。からだは小さく痩せていたが、なかなか男らしい眉をしていた。五月人形のような、黒くて太い眉だ。

「田村といえば」

腕白が口を挟んだ。ぼんのくぼだよな、と、首の後ろを指差している。

田村久志はうつむきがちな少年であったらしい。ひどく無口でもあった。挙手して発言することはなく、同級生と打ち解けようとする素振りも見せない。いじめにあっていたのではない。

なんていうのかなあ。エビスがことばを探している。分《ぶん》をわきまえすぎてるって感じ？　と、ふらつく視線をいいちこに送る。

身の丈にものすごく合わせようとしている、っていうか、四角いトマトになろうとしているっていうか。いいちこが視線をコルレオーネに順送りした。

あらかじめ諦めているっていうのかねえ。コルレオーネが腕を組む。視線のバトンは腕白にわたる。

ざっくりいうと、ロンリーだったよな。腕白が明瞭な発音でいった。小六でロンリーをやられたら、おれら、ちょっと、近づきがたいよな。な、永田と、永田一太の肩に手を置いた。

そうだな、とうなずく永田一太はJ＆Bをロックで呑《や》っている。氷片が動いた。

「田村は孤高な小六だったな」

ドッジボールのクラス対抗戦で、うまい攻めや守りをやったときにかわすハイタッチのさいでさえ、田村久志は伏し目だったという。

せっかく父親参観日に男を連れてきたというのに、手を挙げようとしない息子を見て、母はサングラスのつるを真っ赤な唇にくわえ、「ん、もう」と聞こえよがしに呟いた。

かたわらの男は男で上着のポケットに手を突っ込んで肩を揺すったり、整髪料をたっぷり振りかけたにちがいない長い襟足を忙しく撫でつけたりした。

クラスじゅうの視線が田村久志にあつまるのは、父親参観日恒例だった。

田村久志は腿の上でこぶしを握りしめていた。指のつけねの四つの山が白くなるのを目撃したのは永田一太。うつむいた、その後ろすがたを、残る四人が憶えていた。薄い背なか。まだらに刈られた後頭部。日に灼けた細い首。水がたまりそうなほど深い、ぼんのくぼ。


「……そうなんだよなあ」

腕白が頬杖をつく。

「でもって、たまに笑うんだよなあ、あいつ」

こんなふうに、と口のはたを片方、持ち上げてみせる。

「ちがうよ」

こうだよ、とコルレオーネが鼻のつけねにしわを寄せた。

「ちがうって」

エビスが頬骨を高くして、口をUの字にする。

「そうじゃなくて」と、今度はいいちこ。

「こうだよ」と、目を細める。

「いや、こうだって」

永田一太が、ゆっくりと顎を上げつつ首をかたむけ、じわりと笑みを広げていった。

花輪春彦は左耳を揉んでいる。田村久志の笑った顔を胸のうちで描いてみる。

「そう、その顔」

腕白がこちらを指差した。花輪春彦は頰に手をやった。わんぐりと口を開けたら、顎が鳴った。ゆるんだ頰を元に戻す。

「そんな顔だったなあ」

遠足のとき。弁当をくってたときだよ、なあ、永田。腕白が永田一太の肘を小突いた。

「おにぎり、な」

永田一太がそういうと、おにぎり二個な、とコルレオーネが呼応する。

遠足があった。五月だった。藻岩山《もいわやま》に登った。狭い登山道の土は湿っていて、少し滑った。石のところはもっと滑った。坂道は馬の背あたりで険しくなった。路傍のお地蔵さんを三十二まで数えながら辿り着いた山頂で、六年生は弁当を広げた。

小学校は給食だったから、子どもたちは弁当が楽しみだった。母親たちだって先刻承知だ。わが子のために腕を振るったものだった。

おにぎり二個に、タッパーウエアに入ったおかず。これが標準装備だった。おにぎりの具はシャケが一般的で、おかずは鶏の唐揚げ、卵焼き、ブロッコリとミニトマトなど。ウインナも欠かせない。かたちはおしなべてタコだった。細切りの海苔を鉢巻に見立てたタコもあった。林檎《りんご》ウサギがオプションとしてつく場合もあり、フルーツと称してキウイなんかを別タッパーに入れてくる者もいた。

雑な弁当を持ってくる者もいた。そいつは同級生の愛らしいおかずを見て「なんでえ、男のくせにタコさんウインナかよ」と憎まれ口を叩いた。ええい、こうしてやるとせっかくのタコさんをフォークで突き回されたのはコルレオーネ。

「橋本な」

鼻にかかった声でコルレオーネが笑う。

「橋本」

永田一太が肩を揺すって笑う。

「あいつ、すっかりマイホームパパになっちゃってたなあ」

と腕白。

「一次会で帰るとはねえ」

エビスも笑っている。

「子どもが熱をだしてるもんで、そんじゃまあ、このへんで、だって」

いいちこが敬礼した。辞去する「橋本」の真似だろう。

「……田村はひとりで弁当をくってたよな」

永田一太が話を戻した。


田村久志が持参してきたのは、おにぎり二個のみだった。具は目にしみるほど赤い梅干しで、しみでたつゆが飯粒をまだらに染めていた。海苔は黒ではなく、田村久志の母親の髪の毛のように茶色がかっている。新聞紙にじかにくるんでいたものだから、濡れた紙片がくっついていた。

田村久志は皆に背を向け、胡座《あぐら》をかいて、おにぎりをたべた。

背を伸ばし、胸をひらいて、眼下の景色を眺めている。

札幌のまちなみがひらたく広がっていた。五月晴れとはいいがたい天候で、空とまちなみを分かつ境目が不明瞭だった。まちなみの輪郭が、その日はひどく曖昧だった。

田村久志はひらいた膝の片ほうに肘を載せ、テレビ塔の方角に目をこらしているふうだった。

「あら、田村くん。おかず、忘れたの？」

担任の古川が声をかけた。

「せんせいのと、半分こしようか」

古川は定年間近の女教諭だった。六年生の目からは老女に見えた。

田村は「忘れたの？」と訊かれ、うなずいた。「半分こしようか」といわれ、またしてもうなずく。かたわらに腰を下ろした古川と眼下の景色を指差しながら、昼食時間の残りをすごした。

おかずを「忘れた」のは田村久志だけではなかった。

数人ではあったが、いるにはいた。

しかし、古川が声をかけたのは田村久志だけだったし、「半分こしよう」と持ちかけたのも田村久志だけだった。

小高い山の小高いいただきに、風がわたる。田村久志の虎刈りの髪の毛が、風にあおられ、逆巻いていた。つむじの青白い頭皮が、時おり、覗いた。

いただきます、と、古川の卵焼きに爪楊枝をさすときに、深いぼんのくぼが現れた。

首を起こして咀嚼《そしゃく》して、のみ込まぬうちに「おいしいです」と、かれは笑った。

その田村久志の横顔を、カウンターの五人はよく憶えていた。

「孵卵器《ふらんき》のなかのたまごを電球に透かしてみれば、糸くずみたいな血管が見えるだろう？」

あんな具合の笑顔だったとコルレオーネが呟いた。

腕白が席を立った。手洗いの場所を花輪春彦に訊ね、店をでていく。手洗いは廊下のつきあたりにある。ドアが開閉するたび、喧噪が流れ込んでくる。

腕白が戻ってきた。調子っぱずれのだみ声が店のなかに一瞬、入る。花輪春彦は腕白におしぼりをわたした。カウンターのスツールに腰を下ろした腕白が、おしぼりで手を拭きながら、「でも、やっぱり田村といえば」といった。

用を足しているあいだに、あれこれ考えていたのだろう。

「田村を語るには、でも、やっぱり、あのことしかないだろうよ」

いや、じつはね、と、花輪春彦に向かっていいかけた腕白を永田一太が制した。

「その前に中村理香《なかむらりか》の話をしようじゃないか」

「そうね、中村理香だわね」

いいちこ、エビスも口をそろえた。コルレオーネも同意のふうだ。

中村理香もまた、孤高の小六だった。

片肘をつき、そこに片頰を載せ、はすの半身でグラウンドを眺めるのが得意のポーズだった。

かのじょはどこにでも片肘をついた。机でも、桟でも、お道具箱をしまう棚の上でも。つかないほうの手は腰にあてる。そうして、グラウンドを眺めるように、担任の古川を、同級生を眺めるのだった。

六年一組の教室は校舎の二階。だから、中村理香のまなざしは、つねに見下ろすふうだった。

体育の時間は、片肘のつきどころがないので、腕を組んだ。走れといわれればそのまま走り、逆上《さかあ》がりをしろといわれればそのまま鉄棒をくぐるだけだった。飛んできたボールは足で蹴った。サッカーでなくても。

古川にあてられても答えない。テストは白紙で提出する。中村理香は問題児だった。

問題児合戦でいえば、と、腕白がからだを起こした。

「鈴木といい勝負だったよな」

鈴木という少年は不登校であったらしい。

「おれ、結局、一度もあいつの顔、見なかったぞ」

腕白が薄く笑った。

「あいつ、今、なにやってんの？」

この問いにいいちこが答える。

「引きこもっているらしいよ、いまでも」

四十になるのにか、と、腕白があきれた声をだした。

「齢はあんまり関係ないんじゃないの？」

コルレオーネが鼻声でいう。

「なにをしても、していなくても、齢ってとっちゃうもんなんじゃないの？」

「ただ、四十扱いされるだけよ」

とエビス。

「七つのときは七歳扱いされて、二十歳になったら二十歳扱いされるのよ」

「四十扱いされても困るんだよな」

と、これは永田一太。

「でも、そう扱われてもやぶさかではない部分がおれのなかに少しだけあるんだよな」

いいちこが笑った。

「それって、すれたってこと？」

世間擦れしてきたってこと、と、永田一太も笑う。

「ようやく人生に関わってきたってこと」

「鈴木はいまだ人生に関わってないってことか」

腕白が瞑目《めいもく》する。うーむ、と、腕を組んでいる。

永田一太がかぶりを振った。

「あいつだって関わらずにいられなくなるよ。そう遠くないうちにね」

永田一太の父は一昨年、脳梗塞で倒れたらしかった。右半身に麻痺が残り、認知症も始まっていると、花輪春彦は聞いたことがある。

ともあれ、中村理香の問題児ぶりは、はなはだしかった。

手がかからないぶんだけ、不登校の鈴木のほうがまだまし、との雰囲気が古川から伝わってきた。中村理香は、なぜか律儀に登校だけはしていたのである。

修学旅行前に、その事件は起きた。
四、五人ずつの班に分かれ、修学旅行で見学する火山や湖などを調べて表にしていた。

むろん、中村理香は片肘をついていた。はすの半身で「カルデラ湖のなりたち」を模造紙に書き入れる同級生を眺めおろしていた。

中村理香の目は大きい。黒目がちで、真ん丸で、虹彩が火花のように光っている。光っていながら、明度は低く、藻がからんでいるような濁りがあった。

「……ちょっと」

班長の女子が中村理香に文句をつけた。怯《ひる》んだような、不快感に駆られて思わず口をついてでたような「……ちょっと」だった。中村理香が視線を上げる。

班長はややたじろいだものの、

「表の作成にさんかしてください」

と、両肩を互いちがいに揺すって中村理香ににじり寄り、声を絞った。

「きょうりょくしてください」

無関心はやめてください、と班長らしいことをいった。この班長がエビスである。

むかついてたのよ、とエビスは苦笑いした。あんた、なにさま、って感じ。我慢ならなかったのね。中村理香の態度。ていうか、目つき。

グラスをのみほし、お代わり、と、花輪春彦に声をかける。エビスですか？　と確認すると、ヱビスよ、決まってんじゃない、との返答がくる。

冷蔵庫からヱビスをだした。冷えて、汗をかいた恵比寿さんが鯛をかかえてカウンターに胡座をかく。

丸刈り騒ぎのことも頭にないわけじゃなかったけど、と、エビスは喉を鳴らしてプレミアムビールをのむ。引っ込みがつかなくなってたわね。


中村理香は五年生のとき、やはり同級の女子に無関心を責められて、その場で髪の毛を切ったことがあった。ほとんど丸刈りになるまで髪を切り、図工バサミを机に放り投げ、くだんの女子に一瞥《いちべつ》をくれ、教室をでていったという、これが丸刈り騒ぎだ。

以降、古川も同級生も中村理香に口だししなくなったのだった。かのじょの両親は古川に幾度も相談しにいったらしい。長い長い会談の結論は、これまた長い長いため息と、「ようすを見ましょう」だった由。以降、中村理香はずっと「ようす」を見られていた。

六年生になった中村理香は、班長エビスになじられても丸刈り行動にはでなかった。教室からもでていかなかった。

滲むように顔筋をゆるめていき、ひそやかに笑っただけだ。やがて、けた、けた、けた、と声を立て、お腹をかかえて笑いだした。

「なにがおかしいんですか」

班長エビスは顔を真っ赤にして中村理香に詰め寄った。

「どうして笑っているんですか」

だって、と、中村理香が鼻の頭をちょっと撫でる。

「つまんないじゃない？」

「なにがですか。なにがつまらないんですか」

「なにもかも」

ばんざいをするみたいに両手を挙げる。大きく伸びをして、椅子の前脚を持ち上げた。カタン、と下ろして、はすの半身に構えてみせる。腕を組み、つまんない、と、呟いた。

「ばりばりばりと紙を破くように破ったら、あたしたちの見ているもの全部、きっと、失《な》くなってしまうのに」

中村理香はほどいた腕を空中に伸ばし、なにかを剝いでみせるふりをした。ダイナミックな動作だった。透明な膜を引きはがすようにして、ばりばりばり。

「……あたしはあのとき」

エビスがいった。

「あたしが失くなったような気がして少し怖かった。顔の皮膚が剝がされたみたいっていうか、なんか、あたしの周りにはほんとうに透明の膜が張ってあって、それを破られたようだった」

だって、と、エビスは下を向く。

「中村理香はあたしの目の前で『ばりばりばり』をやったんだもの」

おれもだ、とコルレオーネ。教室が歪んだ感じがした。あたしも、といいちこ。床が抜けたように思った。そうだ、あのとき、と腕白。グラウンドであそんでいるやつらがおばけみたいに見えた。やつらの影のほうがよっぽどたしかだと思った。

「中村マジック」

永田一太がようやく笑った。

「おれたちは、あのとき、中村とおんなじ裂け目に入ったって感じだったたな」

スナック「チャオ！」にBGMはない。客の沈黙は店の沈黙と同じだった。この沈黙は、六年一組の沈黙とたぶん、とてもよく似ているはずだ。

「……なんにもないんだよ」

中村理香が真ん丸い目を見ひらいて、声を張った。

「ほんとうは、なにもないんだ」

触れないんだ。触ったと思っても、勘違いなんだ。触ったって思ってるだけなんだ、と足を踏み鳴らした。

「どうせ死ぬんだ」

ぶっつけるようにいって、中村理香は泣いた。机に突っ伏す。肩をふるわせて泣く。

「いつか、絶対、みんな、死ぬんだ」

ほんとうに失くなっちゃうんだ。そしたら、ないものだって見られなくなるんだ、と激しく泣いた。六年一組の教室に中村理香の泣き声がひびきわたる。

だから、と、どこからか声が上がった。強い声だった。

「だから、生きてるんじゃないか」

クラスじゅうの視線が、たったひとりにそそがれる。田村久志が椅子からゆっくりと立ち上がった。桃色の、女の子のジャージをかれは着ていた。虎刈りの頭でひとつうなずき、こうつづける。

「どうせ死ぬから、今、生きてるんじゃないのか」

中村理香に近づいていく。

「どうせ小便するからって、おまえ、水、のまないか？　どうせうんこになるからって、おまえ、もの、くわないか？　喉、渇かないか？　腹、すかないか？　水やくいものは、小便やうんこになるだけか？」

どうせ死ぬんだ、と田村久志は桃色のジャージのズボンのポケットに手を入れて、中村理香の間近に立った。

「でも、今は生きてるんだ」

ほら、と、田村久志は腕まくりをした。

「おれの指は動く」

ほら、と、床を鳴らした。

「おれの足は動く」

ほら、ほら、と、中村理香の手を取って、かれの胸にあてさせる。

「心臓が動いている」

おれは、今、ここにいる。それでいいじゃないか、という。

中村理香は濡れた顔で田村久志を見上げた。田村久志は腕を伸ばし、かのじょの前髪を掻き上げてやった。

「……泣くなよ」

そう呟かれて、中村理香は一層泣いた。田村久志の手を払いのけ、机に覆いかぶさって、嗚咽《おえつ》を漏らす。

田村久志はかのじょの肩に手を置いた。そうして、ちょっと腰をかがめた。片手は桃色のジャージのズボンのポケットに入れたままだ。かのじょの耳に、ぶっきらぼうにささやいた。

「好きだよ」

六年一組が沸き返った。紙吹雪が見えたようだった、と、これはエビスの弁。


「田村はまだか」

こらえきれずというふうに腕白がいった。

「遅いぞ、田村」

コルレオーネが声を張る。

「なにやってんのよ、田村」

いいちこが笑う。そして、エビスが頬杖をつく。

「田村、遅すぎない？」

「もうすぐだ」

永田一太が太い声をだす。そろそろ札幌駅に着いてもいいころだ、と腕を振り上げ、時計を見る。

花輪春彦も腕時計を見た。地下鉄南北線に乗り、すすきので降りて、歩いて、と、ざっと時間を計算する。

遅くとも、あと、三十分。いや、二十分。十五分かもしれない。

田村久志は小学校を卒業後、宇都宮の親戚の家にあずけられた。中学をでて、豆腐屋に住み込んで修業した。豆腐屋の親方は、学はないよりあったほうがいいという考えのひとで、定時制の高校に通わせてくれたそうだ。

一連の情報は、中村理香より、エビスにもたらされた。

エビスはかのじょと同じ町内だった。同じ中学高校に通ったが、ふたりが話をするのは、犬の散歩途中で顔を合わせたときだけだった。中村理香は柴犬、エビスはシェルティを飼っていた。

しっぽを振り立て、柴犬に挑んでいくシェルティをなだめすかし、エビスの開口一番は決まっていた。

「田村、元気？」

中村理香は下唇をちょっと噛んで、まず、頬を染める。うつむき、柴犬のリードをたぐったりして間を置いて、元気みたい、と、答える。かのじょは田村久志と文通をつづけていた。

田村久志の母が十七も年下の男に浮気され、刃わたり二十センチの包丁でもって腹を刺し、重傷をおわせたかどで警察に捕まったとき、下着などを差し入れたのは、中村理香だった。

もう、男はこりごりだ、性根を入れ替えます、とラブホテルの清掃職についた田村久志の母が、置き引きをはたらいて刑事告訴されそうになったとき、奔走したのも中村理香。

田村久志は豆腐屋の親方に借金をして、母が盗んだ金を弁償した。もう、あいつのことは放っておけ、と中村理香にいったそうだ。

母はずいぶん身にしみたふうに、肩を落としてうなだれていたが、目の周りは真っ青であり、唇は真っ赤であり、分厚く白粉《おしろい》をはたいていた。しばらくは、おとなしくしていた。近所のしけた居酒屋で下働きをやっていた。

相変わらず、窪地に住んでいた。隣家のじいさんが亡くなり、代わりに入ってきたのは五十前後の自称元学生運動家、現自称ミニコミ誌発行人。ただし、ミニコミ誌は一度も発行していなかった。日々の糧は夜間警備であがなっている。色白で線の細い、まあ、いわゆる優男だった。

昔からインテリに弱くってさあ。田村久志の母は抜けた前歯のあとを舌で探りながら笑った。ちょっと、あんた、どう思お？　隣の男、と中村理香に訊く。中村理香はおりおり、田村久志の実家を訪ねては、母のようす見をしていた。

ああ、また、ひと悶着起こりそうだ、と、中村理香は内心案じたそうである。中村理香のうっすら曇った眉間になど頓着せず、田村久志の母は、なにやら丁寧に番茶をいれて、うきうきした調子でいった。

「久志の父親もインテリだったんだよ。学生さんさ。北大のね。医学部だったんだから、大したもんだろ。そのくせ、うぶでね。こっちがちょっと膝をくずしたら、もう、むしゃぶりついてきちゃってさ」

力まかせに突いてくるわけさ、と、田村久志の母は猪首《いくび》をかたむけ、薄い頭髪に指を入れる。その指をすべらせて、後頭部をとんと叩いた。

「畳に倒されたもんだから、ここが擦れてね。痛かったけど、いえるわけないよね。なにしろ向こうはあたしに乗っかかって、そりゃ一生懸命、なんてったって、一目散に腰を振ってるんだからね」

その男は色白だったそうだ。ズボンをずり下げ、なまっちろい尻を揺すっていたらしい。畳についていた膝が擦れて赤くなっていた。野良犬みたいによだれを垂らしてうなり声を立てている。かすれた声だ。汗みずくだ。はっ、はっ、はっ、と、苦しげに息をして、奥のほうから、突き上げてくる。

あたしはね、と、田村久志の母が遠くを見やって、膝の上でむくんだ手を重ねた。

「あのとき、初めて、色がついて見えたんだよ」

目に見えるもの全部に、ぱっと、きれいな色がついたんだ。そういうときってあるんだよ、あんた、わかるかい？　と中村理香に向き直る。

「わかります」

手に持った湯のみをちゃぶ台に置いて、中村理香は答えた。白黒だった世界が天然色に染まる瞬間なら知っている。

「そうかい、わかるかい」

田村久志の母は胸元で両手を合わせ、小娘みたいな顔をした。そうかい、そうかい、と何度もいっていたが、ため息をつき終えたら、普段の顔に戻った。舗装された道路があるのに、ぬかるみを好んで歩くような女の顔だ。

「……一度きりだったけどね」

後ろ手をついて、顎《あご》を上げた。

「でも、久志が仕合せな子だということには変わりないんだ」

底が抜けたように笑いだした。切れ切れにいうことには、田村久志の眉のかたちは、父親にそっくりなのだそうだ。

この話を、エビスは公園で聞いた。

犬のリードを持ちながら、エビスと中村理香はブランコに乗っていた。地べたを足で少し蹴り、ゆるくブランコを漕いでいた。

夕方。空は黄金色と薄紫とオレンジ色に層を分け、その色々を映した雲が、ゆったりと流れていく。大学四年の秋だった。

あたしね。中村理香が顔を上げた。

「宇都宮にいこうと思って」

押しかけるつもりなの、とそっといった。

「あのひとがなんていっても、帰らない」

決めたの、と、明るく笑った。

へえ、決めたんだ、と、あたしはあのとき答えたんだけど、というエビスの声は酩酊している。

「決めたというより、決まってたんだと思うのね」

そうなるように、決まっていたような気がするのね。

回らぬろれつで話すエビスの目は、しかし、澄んでいた。

花輪春彦はひそかに五人の目を見ていった。

どいつもこいつも、と喉の奥で少し笑った。やけに澄んだ目をしていやがる。生まれたてみたいな目だ。

ふと鏡を覗きたくなった。おれの目はどんなだろう。

いや、と、小さくかぶりを振った。覗くまでもないと思える。

なぜなら、目に映るものすべてに色がついているからだ。

会社員時代の取引先のひとりの世話で、へそくった株を売却して手に入れた居抜きの店舗の古びた木目が色づいて見えていた。洗ったような色をしている。

腕白が落ち着かない素振りを見せる。スツールに載せた尻をもぞもぞと動かしている。「あれ」をいいたいのだなと、花輪春彦は察しをつけた。でも、さっきいったばかりだから遠慮しているのだな。

田村はまだか。

スナック「チャオ！」の店内に、さざ波みたいに寄せては返す、このことば。

田村はまだか。

はちきれそうにふくらんだ間《ま》が、五人と花輪春彦を圧している。なんだ、この間は、と花輪春彦は思っている。

触れて、摑めそうじゃないか。

田村久志は今や豆腐屋のあるじである。中村理香はその女房。子どもはふたり。男児ふたり。幼稚園年中と小学校三年生。

春休みを利用してのお里帰りだ。お里帰りは初めてだ。

親方が他界して、十年近くになる。親方がつくりあげた店を、自分の代でつぶしちゃならないから、田村久志は奮闘した。休みをとるひまなんてなかった。そうして販路を拡大し、百貨店に納入するまでになった。パートのおばちゃんを三人も雇っている。親方の親戚の男の子をあずかっている。男の子は、もう二十一になった。まだ一人前とはいえないが、三日の留守なら、まかせられるだろう。ここいらで、いっちょ、まかせてみることにする。

田村久志は、もう、うつむきがちな少年ではない。店主であり、夫であり、父であり、男である。

「いや」

永田一太が異を唱えた。

「田村は男だったよ。小六のときから」

そうだな、とコルレオーネ。

「で、あいつの母親は女だった」

「どうしてるんだっけ、あいつの母親」

腕白がエビスに訊く。

「結婚したのよ、隣のおっさんと」

初婚ですって、といいちこに笑いかける。

「落ち着いているみたいね」

いいちこが答える。

「糖尿らしいけど」

いいちこの母が個人内科でしばしば顔を合わせるそうだ。田村久志の母は老いてなお、真っ赤な口紅をぬっているらしい。

花輪春彦は丸椅子に腰かけて、足を組んでいる。副耳を触っていた。触れて摑めそうな間がふくらみつづける。

足音が聞こえた。ドアの前で止まった。

五人とひとりが腰を浮かす。

「……ちがうよう、りょうちゃん。ここじゃないよう」

女の声が聞こえてくる。あめ玉を舐《な》めるような声だった。

「『チャオ！』じゃなくて、『ボンジョルノ』だよう」

足音が遠ざかる。ふたりは「ボンジョルノ」に向かったようだ。五人とひとりは腰を下ろした。六人そろって、息をつく。

しかし、その目はドアに向けられたままだ。

「田村はまだか」

怒鳴るように腕白がいった。

「遅いぞ、田村」

コルレオーネの鼻声があとにつづく。

「なにやってんのよ、田村」

いいちこが手をメガホンにしてドアに呼ばわる。エビスが頰杖を外した。カウンターをこぶしで打つ。

「田村、遅すぎ」

「走れ！　田村」

永田一太がドアにさけんだ。積年にわたり、やにや埃《ほこり》や喧噪を吸い込んだ焦げ茶のドアはしんとしている。

走ってるさ、田村は、と花輪春彦は思っている。

実家に泊る妻と子どもたちに手を振って、ここに向かって走っている。湿った雪に足をとられつつ交差点を横切って、ぽん引きの誘惑などには目もくれず、ここを目指して走っている。永田一太と腕白と、コルレオーネといいちことエビスが待ってる今このときのこの場所へ、もうすぐかれはやってくる。

花輪春彦は足を組み替えた。

ざらりと顎を撫でさする。粋な無精髭を逆さに撫でて、低く笑った。

今夜、黒い表紙のばね式帳面におれはきっとこう書きつける。

三月二十三日。田村久志の言。

「どうせ死ぬから、今、生きてるんじゃないのか」

いや、こっちのほうがいいかな。

「どうせ小便するからって、おまえ、水、のまないか？　どうせうんこになるからって、おまえ、もの、くわないか？　喉、渇かないか？　腹、すかないか？　水やくいものは、小便やうんこになるだけか？」

どうせ死ぬんだ、と口のなかで呟く。だから、今、生きているんだ、と、田村久志を真似てみた。

参ったね、どうも。花輪春彦は両手で顔を擦った。その手を下に引っ張ると、あかんべえになる。あかんべえの目が熱い。

ドアを見た。

もうすぐ、田村久志があのドアを勢いよく開けて入ってくる。

腕白はたぶん、かれの肩を乱暴に叩くだろう。いや、回し蹴りのひとつもやるかもしれない。

カウンターのスツールは五脚しかないから、永田一太が気をきかして、ボックス席から補助用の椅子を持ってくるだろう。えび茶の四角い椅子は、座面のビロードがすれて、てかっている。ちっとはましなやつを永田一太は選《よ》って運んでき、「まあ、座れ」とかなんとかいうだろう。

田村久志は頭を掻きつつ、飛行機、列車が遅れて往生した話をする。その話をさえぎって、エビスが「理香、どうしてる？」と訊くだろう。エビスと中村理香は、明日、ゆっくり会う約束になっている。いいちこも急きょ参加することになった。女三人あつまれば、さぞやかましかろうと男どものひとりがいうと、田村久志は、わっはと笑う。大きく笑う。明日はおれが子守りをする番だと、きっと、こういう。

おれはたぶん、田村久志のぼんのくぼを確認しようとするだろうと花輪春彦は思っている。しかし、田村久志の首はもはや太く、水がたまるほどのぼんのくぼは、たぶん、見あたらない。

よし、決めた。駆けつけ一杯のビールはおれが奢る。六人全員に振る舞ってもいい。花輪春彦もむろん相伴《しょうばん》にあずかるつもりでいる。ただし、乾杯の音頭は腕白に譲ることにする。腕白はゆるんだネクタイを締め直し、「僭越《せんえつ》ではございますが」とかしこまった声をだすだろう。

「田村くんとの再会を祝して、乾杯！」

グラスとグラスのぶつかる音。

拍手、笑声、拍手、笑顔。

拍手、拍手、拍手。鳴りやまぬ、拍手。田村がきたぞ。ようやく、きたぞ。

花輪春彦はドアに視線をのべている。ドアの木目が一段とくっきりして見えた。

田村は、まだか。

第二話　パンダ全速力

二瓶正克《にへいまさかつ》は、とにかく平気だ。

動じないし、気にしない。

柳に風とは少しちがう。かれの「平気」は巧みに受け流す質《しつ》のものではないようだ。

そうかといって、筋が一本通っているのでもなさそうだ。

道理がたくさんあるようだった。いや、ひとつもなくも見えるのだった。首尾も一貫していないようで、いや、一貫しているのかもしれないが、だとすれば、頭としっぽがどこにあるのか不明な感じだ。

あのひとは、と、二瓶正克をひとことでいおうとして池内 暁《いけうちあきら》は口ごもる。まぶたの裏を見ようとするときみたいな心持ちになる。

一九八九年。

この年の一月八日から元号が平成となった。

四月一日に三％の消費税が施行された。

池内暁が入社したのはその翌々日で、社長の話のほとんどが、平成と消費税に関してだった。社長がいうには、われわれは今、時代の変革期にいる、らしい。諸君の奮闘を期待していると結んだ。

化粧品・日用雑貨の卸会社。札幌支社。社員の大半が営業職だ。ルートセールスだから、新規開拓はしなくていい。

事前にわたされた歌詞カードを手に、池内暁は社歌を口パクで歌った。初めて聞いたが、次はこうなるだろうと容易に予想できる曲だった。「かがやく」とか「はばたく」とか「大空」といった文言《もんごん》がならんでいる。

定年まで勤めるかもしれない会社の社歌だと思ったら、胸はそれでも熱くなった。しかし社長のいう「われわれ」のひとりであり、「諸君」のひとりだと思うと、薄ら寒さがすぎていく。

学生時代はスーパーマーケットでバイトをしていた。青果売場のバックルームでパック詰めをやったりしていた。陳列もやった。たまには売場にでて声もだした。客になにか訊かれたら、愛想よくことばを返した。

チーフの覚えもめでたかった。卒業したらうちにこいと熱心に誘われた。池内暁は大柄で、首も腕もわりに太い。そこに童顔が載っていて、洗いたてのような笑顔を広げる。腹から声をだせるし、からだも動くし、案外器用だし、それになにより腕白小僧みたいな明るい雰囲気がいいとチーフはいった。

わるい気はしなかった。ひとと接するのはきらいではなかった。流通という業種にも興味があった。しかし、池内暁は土日祝日年末年始が休みたかった。ひとが休みのときに休めないのは、つまらない気がした。しかも一生つづくのだ。六十までなら、一生と同じじゃないか。その間、「みんな」が休んでいるときに休めない。「みんな」が休みの前日に、いっしょに朝までさわげない。

男子にしては甘っちょろい考えかもしれなかった。

そもそも、かれの思うところの「みんな」の範囲が曖昧である。しかし、「みんな」は「みんな」としかいえないし、だからこそ「みんな」であるともいえるのだった。

そして「みんな」はこうもいう。職業をそんな理由で決めるのか、働く前から休むことばかり考えてどうする。

いわんとすることは、わからないでもない。しかし、池内暁には実感が伴わなかった。わかったふりをするのは簡単だが、しんからわかっていないものをわかったとするのが、かれはなんだか厭だった。

堂々たる体軀に、小学五年生のような童顔。腕白小僧みたいな雰囲気や、洗いたての笑顔のわけは、たぶん、こうした胸のうちにある。

三カ月の実務研修を終え、販売部に配属された。量販店担当部門である。指導係は二瓶正克。池内暁はかれから現場の仕事を叩き込まれるはずだった。しかし。

「とくに教えることもないんだけどさあ」

これが二瓶正克の第一声だった。ややしゃくれた長い顎を撫でる。

そこで池内暁は「自分で覚えろってことっすね」と、大いにやる気のあるところを見せた。「盗めってことっすね」

フレッシュマンはやる気が大事だ。やる気はおもてにださなければ伝わらない。二瓶正克は四十二歳だと聞いている。このくらいの齢のおっさんは覇気《はき》のあるなしで若者を評価しがちだ。二瓶正克は平社員だったが、まずはここから、という気が池内暁にあった。

二瓶正克は「えっ」と小声で驚いた。きみ、わりに空回りするタイプ？　と、電球を取り外すような手つきをしてみせ、少し途方に暮れた目で池内暁を見た。

それでも池内暁は二瓶正克から現場の仕事を教わった。かたちだけといってよかった。あるいは手順、もしくは流れ。池内暁はのみ込みが早かった。なにしろいちいちメモをとった。感心、感心、と、二瓶正克はそのたびかならずうなずいた。あんまり褒められた感じはしなかった。二瓶正克の「感心、感心」は、合いの手を入れるようだったし、きみ、お猿の列車に乗ったことある？　と訊かれたからだった。

「あれってさ、お猿さんが運転してるわけじゃないんだよね、知ってた？」

知ってますよそれくらい、と答えた池内暁と二瓶正克の目が合った。やはり少し途方に暮れたような目をする。

視線を外すさい、池内暁は鼻息を漏らしてしまった。ふんっ、と、へんっ、のあいだの音がかすかにでた。舌打ちもでそうになったが、それはこらえた。二瓶正克は眉ひとつ動かさなかった。いつもとおんなじ顔をしている。

長っ細い顔である。間延びした目鼻立ちだ。そこに薄い縮れっ毛を載せているから、萎びた花をくっつけてだらりと生《な》った胡瓜《きゅうり》に似ている。眉だけが妙にりりしく、だから、味海苔を張りつけた胡瓜みたいだ。

池内暁はしくじった。

チラシ掲載商品をメーカーに発注し忘れたのだった。

あれ、発注しといてくれたよね、と、二瓶正克に確認されて、うっかりに気づいた。二瓶正克がメーカー担当者とともにスーパーに出向き、交渉して獲得したチラシ掲載だった。むろん池内暁も同席していた。

旧盆は、正月同様、帰省シーズンである。

孫を迎える祖父母がい、あるいは老いた親を迎える子がいると二瓶正克はかれがこしらえた企画書をスーパー側にだしてみせた。お盆だからと病院から一時帰宅するお年寄りがいるはずだと、かれはいつもとおんなじ顔で説明した。おねしょシートと大人用紙おむつがこの時期、けっこう動くのだとデータも見せた。チラシに載せたら、もっと動くにちがいない、ね、そうだよね、とメーカー担当者を見向くと、メーカー担当者がじつはですね、と消費者アンケートをだした。

初の試みだったから、納品数量はおさえられた。それでも北海道内に十店舗も展開しているスーパーだから、小さな仕事ではない。じゃ、よろしく、と二瓶正克は池内暁に発注をまかせた。

いわれたその日にやればよかった。明日やろうと思ったのがいけなかった。その日、池内暁は学生時代の友人と久しぶりにのむ約束をしていた。元気か、やってるか、おい、とビアガーデンで何度も乾杯した。生ビールは旨かったし、枝豆も串カツも旨かった。夏の夜風だって心地よかった。さわさわと襟足をわたっていった。池内暁はネクタイをゆるめた。その仕草もなかなか板についていた。どうよ、池内、と近況を訊《たず》ねられ、子どもと年寄りのしょんべんグッズを売り込んでるよ、と大きく笑った。

スーパーへの納品日の前日にミスが発覚したのは不幸中の幸いだった。メーカー担当者から二瓶正克にまず連絡がきた。かれが受話器を静かに置いて、こちらを見たときには、池内暁の脇の下から、もう汗が噴きだしていた。

あれ、発注しといてくれたよね、と二瓶正克にいわれて、迷った。一瞬だったが、本気で迷った。さまざまないいわけが頭のなかをすぎていく。

コンピュータのせいにしようか。頼みもしないのに、手垢がついて汚らしいったら、とキーボードの清掃をしたがる年嵩《としかさ》の女子社員のせいで故障したことにしようか。発注指示など聞いてない、とそこから「なし」にしてしまおうか、大事な仕事ならぺーぺーにまかせるなと二瓶正克を責めようか、納品前日まで気がつかなかったメーカー担当者を責めようか。

「すみません」

しかし、かれは頭を下げた。そしたらほんとうに社会人になった気がした。男らしいことをしているという気もした。得策、という気もなくはなかった。

社内社外の協力を得て、結局は無事にすんだ。二瓶正克があちこちに電話をかけた。メーカー、本社、支社、はてはよその小売店にまで手を広げ商品を確保し、物流と連絡を取った。

池内暁の脇の下からひっきりなしに汗が滴り落ちた。背なかも汗びっしょりで、ワイシャツが皮膚に張りつく。堂々たる体軀があらわになり、かれはひどく恥ずかしい。たいへんなことをしでかした、と、時間を追うごとにその思いが強くなる。二瓶正克が次の一手を平然と繰りだすたびに、鼓動が太くなった。迷惑をかけた。大勢のひとたちにおれは迷惑をかけた。

すっかり片をつけて、二瓶正克がかれにいった。

「あれ？　メモ、とらないわけ？」

上司に油をしぼられた。焼き鳥屋に河岸《かし》を変えて、説教がつづいた。会社近くのガード下にある上司のいきつけの焼き鳥屋の店先には、破けた赤提灯が下がっている。先頭に立った上司が引き戸を開けて、縄のれんをちょいと上げ、指を三本差しだしたから、絵にかいたようなサラリーマンの夜だった。

カウンターにならんで座った。奥から上司、池内暁、二瓶正克の順である。

上司は眼鏡を外して、おしぼりで顔を拭いた。顎の下を拭き、襟首も拭いた。

「いや、ま、とにかく」

太い舌をちゃぷっと鳴らして池内暁に向き直る。

「ことなきを得たから、それでいいと思ってもらっちゃ困るんだ」

うなだれる池内暁にビールを注いだ。やや肥満したからだを伸ばし、二瓶正克のコップにもなみなみと注ぐ。ビール大瓶をカウンターに置いて、息をついた。二瓶正克に肘を小突かれ、池内暁が注ぎ返す。ん、と、うなずき、コップを目の高さに持ちあげた。それを合図に三人はビールをのむ。池内暁は、今度は自主的に上司のからのコップにビールを注いだ。上司は下唇を突きだして、舌を鳴らす。ま、なんだ、と、ゆっくりと口をひらく。

上司の石田康夫は販売部における量販店担当部門の責任者である。下唇をやや突きだして、太い舌をちゃっぷり鳴らす癖がついたのは、主任の辞令がでてからのことらしい。主任になると、机と椅子がほんの少し大きくなるのだ。回転判もひと回り大きくなる。日付と部門名と役職が入った円筒形の判子だ。日付は女子社員が毎朝ピンセットを使って変える慣習になっている。

「すみません」

池内暁は頭を下げた。もう何遍も下げている。肩を怒らせ、肘を曲げ、握ったこぶしを太腿に置いているから、裃《かみしも》を着込んだ若侍のようだ。

「卸は中間流通なんだ」

石田康夫は川にたとえて話をしている。メーカー様、われわれ卸、小売店様、と川は流れ、やがてお客様という海にでる。

ときに瞑目し、石田康夫は川の話をわりあい長く話した。池内暁はしゃっちょこばったからだを上司に向けて、はいっ、はいっ、と、いちいち大きくうなずいた。骨の髄まで社会人になった気がする。

「……どっち向いても『様』なんだよね」

二瓶正克が呟いた。

「自分以外は『様』なわけよ。逆にいうと、『様』じゃないのは自分だけなんだよねえ」

横に持ったレバ串を、歯でしごくようにして外してたべる。池内暁と目が合った。

「あれ？」

すっとぼけた声をだす。

「きみ、『はいっ』っていわないの？」

ぼく、今、けっこういいこといったと思うんだけど。いつもとおんなじ顔でいった。

「一理ある」

石田康夫が声を張った。

「自分を『様』と思ったら、人間がだめになる」

ああ、話が「人間」までいっちゃったなあ、と、池内暁は心中で頭を掻いた。ちょっとちがうんだけどなあ、という二瓶正克の声が聞こえる。が、この呟きは石田康夫の耳には届かなかったようだ。

「しかし、誇りをうしなってはならない」

まーそういうのも大事かもしれないけどさあ、と二瓶正克がカウンターに手をついた。椅子の前脚を持ち上げて、カタン、と、下ろす。……飽きてるな、と、池内暁は見て取った。

卸とは、人間とは、と、石田康夫は「とは」の話をするのが好きなようだ。「近頃の若者は」の話にゆるやかに移行する。「若者とは」とつづける。向こう見ずでがむしゃらで生意気なくらいで丁度いいと主張した。

はいっ、はいっ、と池内暁はうなずきながら、そういうやつはサラリーマンをやらないんじゃないのかと思った。会社というところはそこまで懐が深くないんじゃないのか。石田康夫が丁度いいといっているのは、かれがてのひらで転がせるほどの向こう見ずでありがむしゃらであり生意気なのだ、たぶん。

二瓶正克がいった。

「焼き鳥は塩がいいけど、レバーはタレのほうがいいよね」

石田康夫の手前、池内暁はかれの発言を無視したが、横目でちろりと見はしていた。二瓶正克は気にしていないようだった。焼き鳥の塩とタレのことしか考えていないように見えたし、なにか全然ちがうこと、それはかなり遠いこと、たとえば宇宙の始まりなどを考えているようにも見えた。

かれもまた会社で石田康夫にたっぷり注意を受けていた。指導係としてどう思っているのか、どんな指導をしているのか、と問われていたが、石田康夫の気に入る返答をかれは持っていなかった。薄い縮れっ毛にひと差し指を入れ、んー、と、首をひねった。

かれは石田康夫より二歳、年長である。石田康夫は老けて見え、二瓶正克は若く見えた。それはきっと頭髪のせいではなく、年齢のせいでもない。石田康夫ははえぬきで、二瓶正克は途中入社だが、社歴の差でもないように池内暁には思われる。

「いや、しかし、われわれ団塊の世代としては」

石田康夫の話は世代論に移っていた。この話題なら二瓶正克も乗ってくるにちがいないというふうに、二瓶正克に目をやって相槌をもとめる。

「えっ」

ところが二瓶正克は軽く顎を引いた。

「それ、ぼくも入るんですか？」

カウンターに前腕を載せ、真顔で訊き返す。

「昭和二十二年の生まれだろうよ」

石田康夫が太い舌をちゃぷっと鳴らしてからいった。

昭和二十二年から二十四年に生まれたひとたちを「団塊の世代」というらしい。そういえば、池内暁の親戚にもひとりいた。

「ぼくは、んー、早生まれだから、学年でいえばひとつ上になるんですけど、んー、混ぜてもらっていいんですかねえ。『われわれ』に」

二瓶正克は、こう、ちょっと細かいことをいったあと、でも、なんか、ありがたいよねえ、と合いの手を入れるようにいった。あーありがたいありがたいと会社から持ってきた蚊取り線香販促用団扇《うちわ》で長い顔をパタパタあおぐ。

「いや、ま、とにかく」

石田が舌を鳴らして池内暁にからだを向けた。

「今回のことはいい勉強になったはずだ」

はいっ。池内暁は切れのいい返事をする。

「いい勉強になりました」

裃を着込んだ若侍というよりはお白州《しらす》に引きだされた下手人《げしゅにん》みたいだ。温情裁きを受けている。


「むかしは戸主《こしゅ》っていうのがあってさあ」

アイスコーヒーをのみながら、二瓶正克がいった。喫茶店にいる。まちなかの、四丁目プラザ裏手のこのあたりはオヨヨ通りと呼ばれていた。

「戸主っすか」

社に戻る途中だった。池内暁はガラナをのんでいる。発注ミスをしてから二週間経った。来週から九月だが、まだ暑かった。

「家制度の中心っていうの？　戸主の戸主権って強大だったわけよ。家政を取り仕切るっていうか、家族を支配していたんだよね」

すごいっすね、戸主、と池内暁はいった。少し笑って。

「うん」

二瓶正克が長いややしゃくれた顎でうなずいた。色の白い男だった。炎天下を歩くと、茹だったように赤くなる。

「戸主が同意しないと、結婚することも家をでることもできなかったからね。いうことをきかない家族には制裁をくわえることもできたし」

んー、と、二瓶正克が腕を組む。目を上げたり、横に動かしたり、頬を撫でたりしている。いずれもゆったりとした動作だった。

池内暁はもう焦れたりしなかった。それが二瓶正克だとわかってきたのだ。かれがなにをいいたいのか、なにをいいだすのかわからないということがわかってきた。

「でも、それってむかしの話っすよね」

んー、と、二瓶正克は組んだ腕のなかに潜り込むようにして頭を下げた。

「ぼくの家、親父が死ぬまでけっこう『むかし』をやってたんだよねえ」

「たいへんでしたね」

「でもないんだけどさあ」

耳の穴に指を突っ込んで、二瓶正克がわずかに眉根を寄せた。

「ぼく、こう見えて長男なんだよね」

まーねー、うるさいことはうるさかったよねえ、と椅子の背もたれにからだをあずけた。くつろいでいる。全身の力を抜いているから、水たまりが椅子に座っているようだ。池内暁は微笑した。視線をのべると、水たまりの向こうの席にも会社員らしき男がいる。『「NO」と言える日本』を読んでいた。

横目を使って隣を見た。営業マンらしき若い男がゲームボーイであそんでいる。じき、五時になる。ビジネス書を読んでいる男もゲームボーイをやっている男も、もうすぐ会社に戻るのだろう。

池内暁の頬がゆるんだ。今、日本じゅうの喫茶店でひまをつぶしている会社員のうち、戸主の話をしているのは、おれと二瓶さんくらいだろう。

「で、まー、親父が死んでぼくが家督をつぐ、みたいな恰好になってさ」

「二瓶さんも『むかし』をやったんすね」

「でもなくて」

いや、「むかし」は「むかし」なんだけど、と、はっきりしないのも二瓶正克の話し方だった。訥弁《とつべん》というわけではないが、かれは話のさいちゅう、しばしば道に迷う。

「隠居って知ってる?」

「水戸黄門っすか？」

うん、そんな感じ、と二瓶正克はかれにしては素早くうなずいた。

戸主が自らの意思で地位を退くことを隠居というらしい。そうして隠居には普通隠居と特別隠居があるのだそうだ。普通隠居は戸主の老衰がおもな理由だ。六十歳以上で、家督相続人がいる場合に認められる。特別隠居の理由はそれ以外だ。裁判所が許可することにより認められる。

「親父が死んですぐ、ぼく特別隠居したんだよね」

「むかし」じゃないから裁判所に許可してもらう必要ないし、まー、勝手にね、隠居しちゃったわけですよ、と何度も「んー」を挟みつつ、かれは話した。

「あっ」

腕時計を見て小声をだした。アイスコーヒーの残りをストローで吸い上げる。

「じゃ、そろそろ戻ろうか」

そうか、隠居か、と、池内暁は思っている。

奇妙に腑に落ちた。

二瓶正克は、なるほど、隠居の感じである。

だから泰然としているのだ。へいちゃらのひとであり、屁《へ》の河童《かっぱ》のひとでいられるのだ。

二瓶正克は石田康夫より若く見えるが、それはきっと、かれが時間というものから降りたからにちがいない。

そうだ、二瓶さんは降りているんだ、と、こう考えたら、もっと腑に落ちる。あのひとは会社からも人間関係からもひょっとしたら人生からも降りている。

わるくないな、そういうの、と、池内暁はこっそり顎を撫でてみた。

消費税施行により売上が落ちたのは一時だけだった。市場では株価が上がりつづけ、土地の値段も上がりつづけている。スーパーやドラッグストアに卸す化粧品や日用雑貨を扱う会社だから、高級品に特化した好景気にはあまり関係なかったが、それでも業績は伸びていた。

石田康夫はかれの手腕によるものだと勘違いしていた。いや、石田康夫だけではなかった。「みんな」、勘違いしていると池内暁には思えてならない。

なぜなら、池内暁の目によれば、仕事がいちばんできるのは二瓶正克なのだった。しかし、かれはいつもおんなじ顔をしている。そりゃ、相手によってことばづかいや態度を少しは変えるが、腹のなかの位置は変えない。

腹のなかの位置というのは自分自身で、それは二瓶正克そのひとだ。「様」というのではなく、「誇りを持っている」というのでもなく、二瓶正克は、二瓶正克として、ただ、そこにいる。

なんか、恰好いいなあ、と、池内暁は思った。

そう思える年上の男に会ったのは初めてだった。医者を辞めて入社したという、二瓶正克の過去もよかった。社内の噂で聞いた。二瓶伝説のひとつだ。

辞めたいきさつにはいくつかの説があったが、教授や助教授との抗争に嫌気がさして辞めたというのに池内暁は一票入れたい。いつか本人にたしかめたい。

でも、あのひとのことだ。想像したとたん、池内暁は吹きだした。かれはきっと、「えっ」と小声で驚いて、「んー」と長いしゃくれた顎を撫でさすり、わけのわからないことをいっておれを煙《けむ》に巻くのだろう。

「きみ、パンダね」

二瓶正克に命じられ、池内暁はパンダの着ぐるみを着込んでいる。二瓶正克が担当しているスーパーの新規店舗の開店日だった。

三十代主婦およびそのファミリーをメインターゲットとした店だった。茶色くきれいに染まる上に、トリートメント効果もあるおしゃれ白髪染めの新発売と、時期も狙いもぴったり合った。

「風船を配ればいいんすよね」

池内暁は パンダの頭を脇にかかえ、二瓶正克に確認している。まだ開店前。

おしゃれ白髪染めを買う主婦の中心年齢層は三十代だ。三十代なら子どもは小さい。風船をよろこぶ年頃で、子どもがよろこべば親もよろこぶ。

「かわいく動いてよ」

お友だち、って感じ。二瓶正克がいつもとおんなじ顔をしていった。ポンプを使い、風船にスコスコと空気を入れている。

「またパンダか」

石田康夫もきていた。腕まくりして陳列を手伝っていた。いい棚割りだ、と二瓶正克を褒めたあとで、つけ加えた。

「なんとかレンジャーのほうが目をひくんじゃないのか」

いってみただけ、という感じだった。二瓶正克はむろん気にするはずがなく、池内暁もさほどかちんとこなかった。

石田康夫はとりあえずなにかいいたいひとなんだ。今更いっても仕方のないことを、それでもいいたいひとなんだと思えば平気だ。

スーパーの社員食堂で遅い昼食をとった。四時近かった。着ぐるみは脱いだ。バックルームに置いてきた。

池内暁は、汗びっしょりのTシャツの袖を肩までめくり上げて太い腕をむきだしにしている。醬油差しを取ろうとしたら、脇毛が覗いた。旺盛に茂った真っ黒な脇毛はまだ少し湿っている。焼き魚定食。大根おろしには醬油をたっぷりとかけたい。

「池内」

おい、おい、池内、やってくれたなと、石田康夫がやってきた。不機嫌きわまりない顔つきをしている。大股の早足は、威厳と至急を兼ねたものだろうが滑稽だった。スーパーの日用品担当者を伴っている。

「クレームがきたぞ」

「おれにですか」

プラスティックの飯わんを持ったまま、訊ねた。

「パンダをだせとよ」

隣の席に足をひらいて腰かけて、石田康夫はこめかみを掻いた。

「泣きながらな。あのパンダは酷いとよ」

おまえ、子どもに風船、やらなかっただろう？　何度もおまえのまわりをぐるぐる回って、チョーダイチョーダイっていった男の子を無視したんだってな。

飯わんを置いて、池内暁は首をかしげた。憶えがないという身振りをしてみせる。

子どもたちはひっきりなしにかれにまとわりついてきた。チョーダイチョーダイの大合唱だった。腹や腰にしがみついて手を伸ばし、その場で跳ねる子どももいた。全員に風船を配ったつもりでいたが、わたし損ねた子がひとりふたりいたとしても不思議ではない。

んー、と池内暁は首をひねった。二瓶正克ならここでごはんをパクリとやるかもしれないと思ったので、ひと口、入れた。ゆったりと咀嚼《そしゃく》する。

「もともと引っ込み思案なお子さんらしいんですよね」

日用品担当者がいった。売場責任者であるマネジャーは会議室にいる。開店初日の売上、商品動向、客筋などの分析にかかっている。

「風船がほしかったけど、パンダに近づけなくて、で、母親に背なかを押されたらしいんですが」

「……父親がいないんだってよ」

石田康夫が割って入った。日用品担当者がつづける。

「パンダのとこまでいくのにも時間がかかったらしいんですよね。何度も、こう、母親を振り向いて」

見ていたわけでもないのに、その子どもの真似をした。

「離婚したばかりらしいんだよな」

石田康夫がまた口を挟む。

「そのようですね」

日用品担当者が石田康夫に愛想笑いのようなものをした。

「で」

と池内暁に顔を戻し、

「ようやくパンダのところまでいって、でも『チョーダイ』っていえなくて、しばらくぐるぐる回ってたっていうんですよ」

トンボを捕まえるときのような手つきをする。

「酒のんであばれて働かない男だったっていうじゃないか、その父親っていうのがよ」

石田康夫は腕を組み、てこでも動かんというようすである。胸のうちで嘆息し、池内暁は日用品担当者に視線を移した。

「ようやく『チョーダイ』っていえたらしいんですけど、で、まあ、何度もいったらしいんですけど、パンダがですね、その母親がいうにはですよ、パンダは、ほかの子どもにはうなずいたり頭を撫でたりして風船をわたしていたのに、うちの子の番になったら、回れ右をしたって」

このあたりから母親が涙声になってきて、と上目遣いで池内暁を見る。

石田康夫は腕を組んだままだった。目をつぶっている。ちゃぷっと舌を鳴らして、口をひらく。いいか、池内、と目を開けた。母親はな。

「朝はパン工場、昼間は食堂、夜は近所のスナックに週に三日、でているんだ。今日は休みで、新しくできたスーパーで新しいものを買って、なんか美味しいものでもたべようかって、それでここにきたんだよ。親子ふたり、手をつないでよ」

男の子は立ち去るパンダを少しのあいだ追いかけたらしい。「エットネ、エットネ」とパンダの背なかに呼びかけていたらしい。風船をもらわずにあたしのところに戻ったら、怒られると思ったようだと母親がいったそうだ。ちゃんとしなさい、めそめそしないの、男の子でしょ、そう、いつもあたしがいっていたから、とその母親は声を絞ったそうである。

「パンダをだせとよ」

おまえにいいたいことがあるってよ、と、石田康夫はデコラのテーブルを叩いたが、クレームの電話はとうに切れているはずだ。

「ご住所は伺いました」

日用品担当者がメモを差しだした。歩いて二十分ほどの距離だった。池内暁は目を上げた。いけというのか。おしゃれ白髪染め販促用の風船をひとつ配りに。

息を吐いた。

「……んー」

と唸って、もったりと顎を撫でる。

着ぐるみっていうのは案外、と、普段通りの声でいった。

「視野が狭くなるんすよ」

逆にいうと、んー、見えない部分が多くなるってことで、というそのいい方は二瓶正克によく似ていた。抑揚のつけなさ加減、間の取り方。

「見ようとする部分しか見えないってわけで、パンダは、んー、単に構造上、その男の子が見えなかっただけで」

視野が狭いのはそっちのほうだと池内暁はいいたかった。石田康夫も日用品担当者も見たい部分しか見ていない。かれらが見ているのは、母ひとり子ひとりの物語だ。男児のいたいけさだ。市井《しせい》の片隅で小さく寄り添う小さな家族への憐憫《れんびん》だ。憐憫の情をもよおす気持ちよさに浸っている。

見えない部分のほうが大きいと池内暁は思う。その母子の家にいき、風船をわたすことにどれほどの意味がある？　自己満足じゃないのか？　いい話にしたいだけなんじゃないのか？

昼食をとったら売場にでて、たくさんの子どもたちに風船を配り、若い母親におしゃれ白髪染めを買ってもらうほうが会社のためになることくらい、誰でもわかる。みんな、そう思っているはずだ。そうだ、「みんな」だ。池内暁は腹のなかで鼻を鳴らした。だいたい、買ったのか？　その母親。おしゃれ白髪染めは新発売記念で安くしているが、それでも先行商品よりは割高だぞ。買えるのか？　その母親に。

石田康夫が低い声をだした。

「おまえが見ていなかっただけだ」

パンダの構造上見えなかったんじゃない、と、尻上がりに声を張る。

「パンダのせいじゃない。おまえがパンダなんだ」

ああ、このひとには、と池内暁は目を細くして石田康夫を見た。近くのものでも遠くを見るような二瓶正克の目を模している。なにをいっても無駄だ。

「すみません」

　立ち上がって頭を下げた。最敬礼なら四十五度。石田康夫も立ち上がる。姿勢を戻した池内暁の目の下に石田康夫の額があった。汗が滲んで光っている。

「いってきます」

　謝ってきます、と池内暁は平坦にいった。

「おれ、今日はパンダですから」

「そうだよ」

　二瓶正克の声がした。競合店のようすを見にいっていたはずだったが、帰ってきたらしい。

「だから、パンダの恰好でその子の家までいくんだよ」

　と平然という。頬がやや上気しているのは外を歩いてきたからだろう。池内暁はかすかに鼻息を漏らした。

「……おれ、いくんすか？」

「いくんだよ」

　石田康夫が横から答える。

　でもまあ、この手のクレームはよくあることなんですけどね、と日用品担当者がさらに横から口をだし、そういう問題じゃない、と石田康夫に跳ね返された。

「いちいちまともに取り合ってられないでしょう?」

日用品担当者が石田康夫にいった。小売店様からのことばなのに、そういう問題じゃないんだと石田康夫が声を荒らげた。短い腕を伸ばして、池内暁を指差す。

「こいつの今日の仕事はパンダなんだ」

パンダをなめてやがるんだ、という。

「こいつはこのところ、なんでもかんでもなめてかかってる」

「池内くんてさ、わりにすぐなめちゃうところ、あるよね」

二瓶正克も加勢した。薄い腰をのっつそっつし、耳の後ろをなか指で掻く。ため息をついた。

「……一生懸命やったほうがいいよ。どんな小さなことでもさ。一生懸命って普段からやってないと、さあやろうと思ったときにできないからさ」

できなくなっちゃうからさ、と、二瓶正克は薄く笑った。

「きみ、特別隠居は早すぎるでしょう?」

口のはたを片方持ちあげたまま、目を伏せた。ぼくはさ、と目を上げる。二瓶正克に似合わぬ太い声だった。その声にもっとも驚いたのが本人だったようだ。また目を伏せて、かぶりを振った。おもてを上げたら、池内暁と目が合った。

二瓶正克はいつもとおんなじ顔をしていた。間延びした目鼻立ち。なにかの間違いのように太い眉の下にある目だけがいつもより黒く見えた。鼻をつままれてもわからない真っ暗闇がただよってくる感じがする。

独り暮らしだと聞いている。二瓶正克には妻も子もいないはずだ。子ども好きとも思えない。だから、かれがなぜいつもより少しばかりむきになるのか、池内暁にはわからなかった。

「……きみ、気づいてたよね」

暗闇のような目で池内暁を見ている。

「わざとあの子に風船をわたさなかったよね」

池内暁は目を落とした。二瓶正克はあのとき、もういないと思っていた。

「弱そうな子だったよね。おどおどしてて。ひとの顔色窺って。そういうの、鬱陶しいと思う気持ち、わかるよ」

二瓶正克はまた薄く笑った。笑うたびに黒目の色が深くなる。

「母親にも気づいてたよね。真っ赤な口紅ぬって、てろんてろんの安っぽい花柄の服を着て、柱に寄っかかってたよね。きみ、気づいてたよね」

かのじょ、いい足してたよね、と、二瓶正克はみたび笑った。スカートの裾をめくってときどき腿の裏側の虫さされのあとを掻いてたよね。そこ、ぽってりと腫れてたよね。

「ねえ、きみ」

二瓶正克が池内暁に呼びかける。無表情だった。振っても揺すっても音がしないと思われるほど、表情がなかった。

「押し倒したくならなかった？　あの女のスカートを臍《へそ》の上までまくってさ、蛙みたいに足をひらかせて、奥まで入れたくならなかった？」

池内暁の喉が詰まった。

「……それは」と、ようやくいうと、「ないんだ？」と返された。

「ないっす」

ふうん、と、二瓶正克はあさってのほうを向いた。

「ぼくはあるよ」

一度だけね。うんと若いとき、と両手で額を撫で上げた。学生のとき。それまで見たこともないような粗末な家でね、真っ赤な唇で底が抜けたように笑う女を抱いたんだ。

それきりだったから、と肩をそびやかす。

「かのじょが今、どこでなにをしているか知らない」

だから、と、浅い笑みを頬に浮かべた。

「きみ、いってきてくれないか」

できれば走ってきてくれないか、と二瓶正克は静かにいった。いつもとおんなじ顔だったし、いつもとおんなじ声だった。池内暁は突っ立ったままだった。ばかのように口を開け、二瓶正克を見ている。

「さっさといけよ」

二瓶正克が怒鳴り声を上げた。薄い頬肉が痙攣《けいれん》する。

「走れよ」

ぼくはもう走れないんだ。だから、と、二瓶正克は墨より黒い暗闇の目を池内暁に向けた。

「全速力で走れよ、きみ」

頼むよ。

「で？」

どろりと濁った酔眼でヱビスビールをのんでいる女が池内暁に訊いた。

「あんた、走ったの？」

ていうか、と、映画「ゴッドファーザー」にでてくるビト・コルレオーネふうの男が割って入る。

「おまえ、なぜ、今、その話を急に?」

そういわれて池内暁は首をひねった。


札幌である。ススキノである。一杯のみ屋やスタンドが重なるように軒をつらねる狭っ苦しい小路である。黄色いにおいがする。小水や嘔吐物の臭気がそこはかとなくただよう道筋の奥まったところにある二階建ての建物の一階。スナック「チャオ!」の店内である。

クラス会の三次会。有志五名で遠方より遅れて参加する田村久志の到着を待っている。午前零時半を回ったところだ。田村久志はまだこない。

「田村、まだかなあ」

永田一太が伸びをした。

「なにやってんのよ、田村」

いいちこを呑っている女がいった。

「今、きっと、走ってますよ」

もう交差点のところまできてるかもしれない、と耳を触っているのはマスターの花輪春彦。

「交差点って、ニッカの？」

「ブラック・ニッカの」

「ひげ面のおっさんの」

「ローリー卿の」

札幌市中央区南四条西三丁目。駅前通りと月寒《つきさむ》通りの交差点にニッカの大看板がある。

「それだよ」

池内暁がそういうと、どれだよ、と茶々が入る。池内暁がコルレオーネに向かって、スツールを回した。

「走った話だよ」

「誰が？」

「おれが」

「おまえが走ったってしょうがないじゃないか」

「で、走ったの？」

あんた、パンダのなりして走ったわけ？　とエビスが訊いた。え？　どうなのよ、と、カウンターに肘をつき長い髪に指を入れ、頭皮を揉んでいる。相当酔っているようだ。

「走ったね」

池内暁は腕を組んで顎を上げた。

「全速力で」

パンダだったからそんなに速くなかったけどな。うん、と、結んだ唇を横に伸ばして笑った。

「……要はしごきだよな」

コルレオーネがいった。

「新人には、ばかばかしいことをあえてさせるもんだよ」

そうそう、といいちこが受ける。

「パンダをやれっていわれたら、黙ってパンダをやらなきゃならないのよ」

「お客様がお怒りになってるしね」

「上司もお怒りになってるし、小売店様にもご迷惑をかけたし」

「口コミってのは侮れないしな」

永田一太がコルレオーネといいちこの会話に加わる。

「ちょっと奥さん聞いてよ、あらまあ、酷い目にあったわね、あんな店、二度といかないってことになるからな」

「その二瓶ってひとだって」

マスターの花輪春彦も入ってくる。

「気まぐれを起こしただけなんでしょうね」

池内暁は首を伸ばした。

左を見、右を見、前を見る。

永田一太。コルレオーネ。いいちこ。エビス。花輪春彦。つぶれかけたエビスをべつにして、皆、頬に薄笑いを載せている。だっ、とか、なっ、とか、短いことばが池内暁の口から漏れた。

「そういうんじゃねえだろうよ」

おまえら、おれの話、聞いてたのか。声を張り上げ、カウンターに両手をついた。肩を怒らせ、尻をスツールから浮かせている。

「聞いてるっつうのよ」

負けじとエビスが野太い声をだし、皆、笑った。永田一太が池内暁の肩に手を回す。

「そういうんじゃないんだよな」

押っつけるようにして手を離され、池内暁のからだがちょっとかしぐ。かしぐなりにさせながら、池内暁は頬をゆるめた。鼻の下を伸ばして、そこをしきりに掻いている。ったくもう、と、呟いた。

「見たかったな、パンダが走るところ」

風船、持ってんだろ？　というコルレオーネはまだ笑っている。

「ね、その母親、なんていったの？」

パンダにいいたいことがあったんでしょ、と、いいちこがカウンターに身を乗りだした。あいだに座るコルレオーネが気をきかして、からだを反らせて顎を引く。

「……いや、とくになにも」

二階建てのアパートだった。錆びた鉄階段をパンダはのぼった。チャイムを鳴らした。母親がドアを細く開ける。かのじょは薄っぺらいドアから首をだし、風船を持って来訪したパンダを上から下へ眺めた。顎をしゃくって、入れの合図を送った。

パンダ一頭分の狭い玄関に立つパンダの耳に子どもの泣き声が聞こえてくる。くぐもって聞こえてくる。母親に引きずられるようにして、奥から子どもがでてきた。そんなに強く引っ張ったら腕が抜けるぞとパンダは思った。

泣かないのっ。母親が子どもを一喝する。

子どもはかのじょの足元で、よつんばいになっていた。汗と涙とよだれとそれから油菓子のかすでよごれた顔を左右に激しく振っていた。母親がかれのそばにしゃがみ込んでパンダを指差す。

あんたのためにきてくれたんじゃないの。ほら、風船。ちゃんと持って。ほら、ありがとうは？　いいなさいよ。いつもいってるじゃないの。こういうとき、なんていうの？　教えたじゃない。おかあさん、教えたでしょ。いつまでも泣いてるんじゃないのっ。金切り声を上げ、子どもの背なかを平手で打つ。

あの、怒らないでください、とパンダはいった。大きな頭部を振って、腕を広げた。わるいのはこっちのほうっすから。腕を胸で交差させ、ぐうらりと頭を下げた。

「……だらしないパンダだな」

「もっと気のきいたこと、いえなかったの？」

いえなかったねえ、と、池内暁は額を擦っている。若僧だったし、といって、いや、いまでもいえないかもしれないな、といい直した。

「いってやりたいことはあったんだけどな」

たしかにあったのだが、まぶたの裏を見るように、ことばを捉えることができなかった。四十歳になった。あのときの石田康夫と同じ齢だ。あのときの石田康夫と同じ役職についている。石田康夫は現在、販売部長だ。

「二瓶ってひとは？」

花輪春彦が訊いてきた。カウンターの奥で、丸椅子に腰かけている。ぱらりとはやした無精髭を撫でさすった手を見て、伸びたな、という顔をした。

「相変わらずだよ」

平《ひら》のままだ。昇級試験も受けないし、いつもおんなじ顔をしている、と池内暁は笑った。

「今年の末《まつ》に、定年だ」

普通隠居だ、とカウンターに前腕を載せ、池内暁はからだをはすにしてみせる。ばかでかい花束を贈るつもりだといった。きみ、ちょっと、困るよ、と、二瓶正克が逃げても押しつけてやるんだ。

いいちこがゆるく笑った。グラスを回して氷を転がす。いい音が立った。店のなかは静かだった。

花輪春彦が上半身をそっと倒した。丸椅子から腰を浮かせて、カウンター下に手を伸ばす。黒い表紙のばね式帳面を取った。半身をねじって後ろの棚の引きだしからペンをだす。

「……なにしてるんですか」

訊ねるコルレオーネに永田一太が答える。

「書きとめておくんだよ」

「なにを？」

と訊いた池内暁に、

「おまえが走った話じゃないのか？」

マスターの趣味なんだよ、と、永田一太が耳打ちする。

「ほんとうは店を閉めてからやるんですけど」

花輪春彦が帳面から目を上げて、照れくさそうに笑った。

「どうも、今夜は長い夜になりそうだから」

最近、忘れっぽくてねえ、と首を振る。

池内暁は立ち上がり、花輪春彦がかかえている黒い表紙のばね式帳面を覗き込んだ。

全速力で走れよ、きみ。

新しいページに書かれていたのはたった一行。池内暁は永田一太の肘を小突いた。おい。

「おれの話じゃないじゃないか」

「かまわないじゃないか」

永田一太が池内暁の肩を軽く叩く。

「いいじゃないか」

コルレオーネがJ&Bをひと口、啜った。

「あなたの話ですよ」

花輪春彦がペンの尻を顎にあてる。

「これはあなたの話だ」

池内暁は半拍遅れてうなずいた。もう一度、短くうなずく。スツールに座り直した。

ところで、と声をあらため、一同を見わたす。

田村は、まだか。

第三話　グッナイ・ベイビー

マスターが茶色いビール瓶を掲げている。カウンターに陣取った客を見わたし、さあてお立ち会いというふうに瓶のラベルを指差した。鯛をかかえる恵比寿さんの背後に置かれたびくのなかにも鯛がある。

「通常一尾の鯛が二尾」

咳払いをひとつしてから、マスターの花輪春彦がつづけた。

「福を呼ぶと巷《ちまた》で噂のラッキー・エビスというやつです」

札幌、ススキノ、スナック「チャオ！」。

三月二十三日は金曜日だが、夜半はすぎた。だから日付は変わっている。嵐ともいうべき荒天もとうにすぎ、今夜の客は五人だけだ。

「へえ、これが」

永田一太が手を伸ばした。首のすわらない赤ん坊を抱くように両手でビール瓶を持って、ラベルを眺める。隣の席の池内暁も眺めている。目をラベルのほうに持っていっているから、覗き込んでいるという具合。ビール瓶が池内暁の手にわたる。

「……どれどれ」

コルレオーネが、スツールを半回転して池内暁に膝を向けた。

「ひとつ拝見させていただきましょう」

鼻にかかった声でいった。ビール瓶を池内暁の手からするりと抜いた。あ、おれが今見ていたのに、と抗議する池内暁の分厚い肩を半笑いで押しやった。ラベルについた水滴を細い指でさっと拭き、なるほどねといっている。ごくジェントルな動作で隣の女にビール瓶を持たせてやろうとしたのだが、女は腕を組んでいた。

ちなっちゃん。コルレオーネが女の肘を軽く突いた。

「ほら、福を呼ぶんだって」

口のはたにわずかな笑みをのせ、女はグラスに手をかけた。ビールもウイスキーも苦手なので、いいちこを呑《や》っている。ちなっちゃんか。口のなかで呟いて、麦焼酎をあおった。四十歳、独身、加持千夏《かじちなつ》、と胸のうちで、自己紹介してみる。生まれてこのかた名乗りつづけた姓が変わる予定は立っていないが、もしもそうなったあかつきには夫婦別姓にしようと思うことは思っている。

「福、ねえ」

しぶしぶというふうにビール瓶を受け取り、ふうん、と眺めた。

「数百本に一本といわれてますね」

花輪春彦が顎を撫でた。粋な感じでぱらりとはやした無精髭だって、午前二時ともなれば青黒い影になる。その影を加持千夏は掬《すく》い見た。触れてみたいと、ちょっと思う。理髪師が使うようなよく切れる剃刀《かみそり》で、逆さ剃りをするふうに指の腹で撫で上げたら、どんなだろう。

足を組み替えた。短い息をつく。

剃刀のかたちはバターナイフに少し似ていた。ほどよく温めたそれを室温のバターに入れている。いや、入れられている？　と自問して、酔ってるなあとかすかに笑った。

「お湯かなんかで割ります？」

加持千夏のグラスを指差し、花輪春彦が訊いた。かのじょはいいちこをロックで呑っている。

「割るのかよ」

加持千夏が答える前に池内暁が声を張る。

「さみしいねえ」

コルレオーネが加持千夏の肩に肘を載せた。左隣の池内暁に顔を近づけ、聞こえよがしにつづける。

「さしものちなっちゃんもトシには勝てないわけだ」

「やっぱ、肝機能とか気になるんだねえ」

「γ《ガンマ》どうのこうのとかってやつ？」

「どうのこうのってやつ」

コルレオーネと池内暁が指をそろえた手の甲を口にあて、わりにはっきりとしたひそひそ声でいい合う。

「どうのこうのは、ほら、怖いから」とコルレオーネがいうのを、「γ‐ＧＴＰ」と加持千夏が明瞭な発音でさえぎった。

「アルコール性肝障害の指標としては有効だわね」

でもそんなに恐れることはないわ、と肩に置かれたコルレオーネの肘を外す。頭をかたむけ、短髪の襟足をてのひらで押さえた。

「さすが、保健室の先生」

永田一太が手をメガホンにして、カウンター席のはしから声をかける。

「関係ないわよ」

高校生の脂肪肝なんて見たことないわよという加持千夏を、こちら、と、返したてのひらで差し、花輪春彦が「保健室の先生なんですか」と永田一太に訊いた。

「男子高のね」

と答えたのは池内暁。

「若ーい男の発育を見守りつづけて十八年」

「身体測定を仕切りつづけて十八年」

コルレオーネと池内暁、ふたりして忍び笑いを漏らす。

「いいわよねえ、若い男の子にかこまれて」

加持千夏の右に座った女が、どろりと濁った酔眼を上げた。口調もどろりと濁っている。

「風呂屋の番台じゃあるまいし」

ビール瓶を右の女の前に置き、加持千夏が低い声をだした。

「見て嬉しいはだかばっかりじゃないのよ」

「それでも風呂屋の番台に座るのは、ある意味、おれの夢だ」

池内暁が高く腕を組み、口を結んで大いにうなずく。

「時給を払ってもいいな」

「払うんだ」

コルレオーネが茶々を入れ、いいわよねえ、若い男、とエビスが頬杖をつく。カウンターについた肘がすべって、そのままま突っ伏した。

「どうします?」

栓抜きを手に花輪春彦がエビスに訊いた。

「開けます?」

あーけーるー、と、髪に手を入れ、頭皮を揉みながらエビスがくぐもった声で答えた。

「そのへんにしておいたほうがいいんじゃないの」

永田一太が花輪春彦にいった。エビスにもちらと目をやる。のーむー、と、エビスがうめくように意思表明をした。

「のませてやりなさいよ」

このひとがつぶれるのは恒例じゃないの。加持千夏はトングで挟んだ氷をグラスに投げ入れ、いいちこのキャップをひねりながらいった。

「たしかに」

コルレオーネが浅くうなずき賛同する。

「クラス会のたびにつぶれているよな、そういえば」

少し間があいた。おれの出番だといわんばかりに池内暁が口をひらく。

「田村はまだか」

もう何遍もいっていた。煙のようにうつろう酒場の話題がひと区切りするたびに、池内暁は「田村はまだか」と、話を、空気を、戻すのだった。

「……それにつけても金のほしさよ」

加持千夏の小声に池内暁が反応する。

「どういう意味かな、ちなっちゃん」

「どんな上の句にもかならずつながる下の句みたいってことよ」

それにつけても田村はまだかって感じじゃないの、と襟足の毛を押さえる。

「うまいね、ちなっちゃん」

コルレオーネが湿気《しけ》った拍手をした。

「でも、それ、ちょっときつくない？」

加持千夏は首をかしげグラスを揺すった。池内暁もJ＆Bの水割りを揺すりだし、花輪春彦はカウンター奥の丸椅子に腰かけ、耳たぶを触っている。とはいうものの、と、永田一太がさっくり、いった。

「ちなっちゃんだって、田村を待ってるんだよね？」

加持千夏は片頬で笑った。そうね。

「待ってるんじゃない？」

ビール瓶に目を投げた。鯛をかかえた恵比寿さんの背後に置いたびくのなかにも鯛がある。薄暗い照明の下とはいえ、鯛は鯛らしく赤かった。福、を、呼ぶビール。

「待ってるってことにしてもいいわね」

田村を、とやや急いでつけ足した。

「……可愛くねえなあ、相変わらず」

池内暁がカウンターに手をついて、スツールの脚を浮かせた。

「可愛くなくて結構」

加持千夏が背を伸ばす。

「いやいや、ちなっちゃんらしいって」

永田一太が身を乗りだして笑いかける。

「らしくて結構」

加持千夏も身を乗りだして答えた。

からだを戻して、組んでいた足を床に下ろす。爪先で擦ると、きゅっと音が立った。釣りあげられた深海魚の悲鳴のような音である。

白い上靴の絵が、加持千夏のまぶたの裏にきた。ワックスのかかった床をきゅっと鳴らして上靴たちが整列を始める。体育館は海の底で、というより海洋牧場で、深海魚を飼ういけすのようだと、毎週月曜の全体朝礼のおりに、かのじょはいつも想像する。

舌打ちがでた。キッドを思いだしている。十九も年下の男の子だ。

キッドは携帯電話を持たない。腕時計もはめない。傘を持つのもきらいで、その癖、雨に打たれても走らない。そぼふる雨のなかを歩くかれを加持千夏は保健室の窓から見たことがある。小癪《こしやく》な感じでわるくなかった。

キッドは細い足で、歩幅を広く取り、刻むように歩く。踏みだすときに曲げた膝を体重移動と同時に伸ばし、すかさずもう片方の足で地面を蹴る。風向計の指し示すところに向かって足を運ぶような歩き方だ。

島村裕樹《しまむらゆうき》が卒業して三年になる。

十九も年下の男の子に、自分だけの愛称をつけ、胸にそっと手を置くように呼びかけるのは、ばかげたことだと加持千夏だって承知している。ようすのいい生徒にいちいち心を奪われていては男子高の教員など勤まらない。

現に、キッドに会うまではだいたい平穏に日々を送っていた。ジャージの上下に白衣を羽織り、ポケットに両手を入れて、健康サンダルをかぱかぱいわせて外股で歩く加持千夏を女として扱う生徒も同僚教員もいなかった。

それで結構。化粧けのない頰を両手でつつみ、そのとき、加持千夏はパソコンのモニタを見つめていた。

場所は保健室、時は六年前の黄金連休明け、午前。

見ていたファイルは先月の「保健室だより」だった。月に一度、つくっている。前月の保健室利用状況を表やグラフにまとめたり、健康ひとくちメモ、あるいはトピックスなどを載せていた。配布はしない。学校のホームページにアップすることになっている。更新日は月々の十日前後と決まっていた。

四月のトピックスは「健康診断特集」と、新入生に向けての「保健室の使い方」が二本柱だった。加持千夏はそのなかで、癒される保健室を目指しますと書いた。心配事よろず相談に応じる用意があります、秘密は守るから、気軽にね、とも書いた。

おかげで「癒されたい」と来室する生徒が増えてしまった。さっきもきた。二時間目と三時間目のあいだの十分休みに「ちなっちゃん、癒してくれるんだ？」と、にやにや笑いでやってくる子たちがいた。

「おれたちも秘密は守るから、気軽にね」とか、「やさしくしてね」とか、からだをくねらせていろんなことをいう。あんたら、いいかげんにしなさいと怒ってみせたら、腰を折って大笑いした。ずりさげたズボンが、薄っぺらい胴の下のほうでようやくという感じで止まっている。

チャイムが鳴り、かれらは教室に戻っていった。保健室にひとり残され、加持千夏はひどく老けた心持ちになった。

まだ、満三十四歳だと思っている。しかし、この「まだ」は、高校生には通じないようだった。

かれらにとって、かのじょはとっくにおばさんで、授業をおこなう教員よりも心やすく口をきけ、からかうことができる存在であるらしい。からかうことができるのは、と、加持千夏は思いをめぐらす。おばさんでありながら、胸の奥に「まだ」という気があることを見透かされているからだろう。

ジャージの上下に着流しみたいに白衣を羽織り、いくら外股で歩いても、化粧なんぞに興味がないというふうにしていても、「まだ」の気配が閉め忘れた蛇口から滴る水のようにぽたぽたと落ちているにちがいない。

ちなっちゃん、と、かのじょを呼んで、からかうかれらの目には、わずかな苛立ちの色がある。憎しみのような、憐れみのようなものが混ざり合わさり、親しみというあやふやな色になる。

「健康診断特集パート2・結果編」

今月の「保健室だより」のトピックスを決めた。身体測定の結果から打ち込み始める。縦に学年、横に身長、体重、座高と表をひらき、本校平均、全国平均と対比させるつもりである。

背後で音がした。かちゃり、とノブを回す音だ。回転椅子を腰でひねって振り向いたら、生徒がひとり、両腕を垂らして立っていた。

半びらきの口で呼吸していた。眉間にかすかなしわを入れ、焦点の合わぬ目をこちらに向けている。発熱。それもけっこう高そうだ。

ベッドに腰かけさせた。体温計をわきに挟ませる。三十八度六分。解熱剤をのませた。その前にアレルギーの有無を訊いた。

「……長芋をたべると口のまわりが痒《かゆ》くなるけど」

少し考えてから、かれが答える。

「おくすりをのんで気持ちがわるくなったことは？」

加持千夏は少し笑って訊き直した。長芋で痒くなるのは、それ、わりに誰でもよ、と、胸のうちで呟いた。


ステンレスの膿盆。綿棒。ピンセット。オスバン液。薬棚のガラス扉を閉めると、なかに入った器具が揺れる。洗面器スタンドに載った白い洗面器。身長計、体重計、冷蔵庫。ついたての向こうで、島村裕樹が浅い寝息を立てている。

加持千夏はキーボードを打つ手を止めて、席を立った。ついたてを静かによけて、枕頭からかれを見下ろす。

一年生の本校平均身長は一六九・一センチ。体重は五八・七キロで座高は八九・七センチである。汗で濡れた癖毛をひたいに張りつかせて眠るかれはほぼ平均の一年生だろう。たぶん、まだ、十五歳。でも、ほっそりとした首には喉仏が柔らかに出張っている。

枕元に脱ぎ捨てた紺色のブレザーとネクタイを手に取った。ハンガーに通し、ついたての内側にかけておいてやろうと思う。

汗と、ほんの少し精液のにおいがした。それらは生徒に共通するにおいで、埃や日なたのにおいと混合し、育ちゆく者たちのその過程を思わせる。

島村裕樹のにおいはまだ青かった。

たまご色の毛布から肩をだして眠る横顔の顎の下には、産毛のようなものがあるきりだ。肌理《きめ》のつまった頰は、代赭《たいしゃ》色のたまごみたいにつるりとしている。唇は依然半ばひらかれており、そこからなま暖かそうな息を吐いている。閉じたまぶたのはしに目やにがたまっていた。

ぬぐってやりたかったが、加持千夏はそうしなかった。ひたいに手をあて、湿った癖毛を梳《す》いてやりたかったが、しなかった。

すっ、と、行為に移せなかったのだ。

かすかな躊躇がかのじょの動きを制限していた。

島村裕樹が寝返りを打ったからでもあった。

うつぶせになり、タオルを巻いたアイスノンにひたいを擦りつける。からまって、こんがらかった後頭部の癖毛を加持千夏は見ていた。肩で大きく息をついたのはかれのほうだ。白いシャツ越しに肩甲骨が動いた。

かれの頭を撫でてやりたかった。母親のようにでもなく、恋人のようにでもなく、ただ、暖かな者として、撫でてやりたいとかのじょは思った。

島村裕樹は加持千夏に印象を残した。

その印象が日を追うごとに独特になっていった。

かれは、なぜか、加持千夏の視界に入ってくる。探す気なんてちっともないのに、目に入ってくるのだった。

そぼふる雨に打たれながら軽やかに歩くかれを保健室の窓から見たのは、四カ月後の九月初めだった。

まだ夏服だった島村裕樹は白いシャツの袖を肘の上までまくっていた。小さな頭部をふいにめぐらせたと思ったら、加持千夏と目が合った。かれはぴょんと頭を下げた。雨にあたってかれの癖毛はいつもよりボリュームが少なかった。

また風邪をひくわよ。加持千夏が口だけでいった。

え？　とかれが耳に手をあてる。

その恰好のまま、歩き始めた。例の歩き方でおよそ七、八メートル。保健室の前は職員用の駐車スペースになっている。整列した車のあいだを、かれは速度を落とさず縫ってきて、窓辺に立った。

加持千夏は窓を開けた。

大急ぎで引っ摑んだ置き傘をわたそうとしたのだが、断られた。傘がきらいだと、このとき、知った。

一年後、島村裕樹は、ほかの生徒たちと同じく加持千夏を「ちなっちゃん」と呼ぶようになった。

加持千夏は胸のうちで、かれをキッドと呼んでいた。

携帯も、時計も、面倒だから持たないと知っていたし、母親が再婚したばかりだということも知っている。

かれは四歳で「ろくでなし」の実父と別れたらしい。酒をのんではあばれだし、その上働かない男だったと、たぶん、母親がかれにいってきかせたのと同じことを平坦な口調で話した。

うつむいて話すキッドの頭を、加持千夏は撫でてやりたかった。はえぎわからゆっくりと、なだめるように撫でてやりたい。

黄金連休明けの昼休み、キッドは友人たちをともなって来室し、トランプで大貧民をやり始めた。

キッドはちらちらと加持千夏に目を寄越した。試すような、焦《じ》らすような視線である。

小癪な感じで、やっぱりわるくなかった。でも、見くびられては困る。

加持千夏は腰に手をあて、しっしとかれらを追い払った。わあっと保健室をでていくかれらのなかで、キッドだけが振り向いた。加持千夏に一瞥《いちべつ》をくれ、薄く笑った。


学年末考査は三月一週におこなわれる。

火曜から金曜までの四日間だ。

二月の半ばくらいから、やれ頭が痛いだのお腹が痛いだのかったるいだの、保健室にやってくる生徒が増えてきた。

定期考査が近づくと、いつもこうだ。ふたつしかないベッドの稼働率が高くなる。保健室を仮眠室代わりに利用する生徒は多い。

キッドもそのひとりだった。寝不足を解消するために来室したらしい。学年末考査前日の月曜日だった。

もうひとつのベッドで寝《やす》んでいた三年生を教室に帰し、加持千夏はキッドにも早退するか、授業に戻るかと二者択一《にしゃたくいつ》を迫った。キッドは一時間、眠っていた。

「ぼくも？」

上半身をずり上げるように起こしてキッドが驚いてみせた。心外という顔をしている。

枕に肘をついて、ちょっとしたジゴロのように顎を上げた。

たっぷりと間をとって、

「ちなっちゃん、柴崎とつき合ってたんだって？」

と訊く。

「……あ」

柴崎道雄《しばざきみちお》は、一昨年に採用された数学担当の教員だった。

加持千夏よりも一歳年上だ。三度、寝たことがあった。三度とも一昨年のうちだったから、おたがいにものめずらしかったのだと加持千夏は思っている。

柴崎の愛車は国産のスポーツカーだった。黒い幌つきの、沢庵みたいに黄色い車だ。ナンバープレートの数字は８８８１で、バハハーイと読ませるとのこと。お茶目ですねと加持千夏はいったのだが、この皮肉を柴崎はいいふうに解釈した。よくいわれるんですよと薄い頬肉で笑い、アクセルを踏み込んで、安っぽいエンジン音をひびかせた。

「スポーツカーといい、ナンバープレートといい、数学の教員としてはギャップがありすぎるってね」

へんでしょ、おれ、と、助手席の加持千夏に顔を向け、おそらくはここ一番の笑顔を見せた。鼻筋は通っている。薄い唇は酷薄そうだが、透明のフレームの眼鏡とは調和している。加持千夏は足を組み替えた。ストッキングの生地が腿に触れる。安っぽい音とはいえ、エンジンの振動が座面から伝わり、かのじょのなかをのぼっていった。

日曜日に誘われたドライブのいき先はちょっと遠出して支笏湖《しこつこ》だった。支笏湖はカルデラ湖だ。カルデラ湖といえば、そのなりたちを班ごとに調べ、表にしたことがあった。

「あたしもへんだわ」

加持千夏がやや声を張った。かのじょは「へん」に「ばか」というふくみを持たせたのだが、柴崎はやはりいいふうに受け取ったようだった。

「加持先生のスカートすがたは滅多に拝めないと評判ですからね」

入学式や卒業式、かしこまった学校行事でもないのに、加持千夏にスカートをはかせた自分の手腕（あるいは魅力）を柴崎は高く評価しているようすである。それは、なんだか、まるきり見当はずれともいえなさそうで、加持千夏は小さくため息をついた。おりしも信号が赤に変わる。ちょっと遠出したドライブの帰り道は夜道だった。スポーツカーの車中では意味ありげな沈黙が満ちており、進行方向にある信号が青になる一瞬前に柴崎は車を前進させた。

「ほんとにへんかも」

加持千夏がひとりごちるようにいったのは、車が滑りだすように動き始めるそのときまで、柴崎に膝がしらを撫でられていたからだった。

——加持先生も、あれでじつはなかなかどうして女なんですよ、と、柴崎が、ここだけの話にしてくださいよと前置きして、同僚教員のいくにんかに加持千夏とのあれこれを喋ったのは知っていた。そのいくにんかが更にいくにんかに伝達していると校務員のササキさんが教えてくれたのだった。

柴崎との関係を、かのじょ以外の職員全員が知っていることに、かのじょは気づいていないふりをして、やりすごした。

だから、昔話になっているはずだった。

まさか、生徒にまで広まっているとは思わなかった。そういえば、キッドのクラスの担任は柴崎である。

「……ほんとなんだ」

キッドは加持千夏の目を覗き込んだ。

癖毛を揺らして、へえ、そうだったんだ、とベッドに手をつき、ひらりと降りる。上靴に足を入れ、爪先をトントンとやる。ついたての内側にかけた上着の胸ポケットからネクタイをだした。首にかけ、上着に腕を通す。

かれの目に浮かんだ苛立ちの色が濃くなっていた。憎しみと憐れみも濃く現れていて、加持千夏は、自分が「まだ」の気配を濃厚にただよわせていると知った。

なぜなら、でくのように突っ立っているきりだったからだ。

たかが生徒のからかいに対し、釈明したくてならなくなっていたからだ。

そんなんじゃないの、と喉まででかかったそのことばは、充分すぎるほど「まだ」だった。

「……うざっ」

キッドはこうことばを投げて、きびすを返した。風向計の指し示すところに向かって歩くような足の運びで歩いていった。

加持千夏が惨めな気分に陥ったのは、「うざっ」でよかったと胸を撫で下ろしていることに気づいたときだった。「きもっ」よりかは、いくらかましと思われて、舌打ちがでる。

落ち着きのない視線が窓で止まった。

保健室の窓から見えるのは職員用の駐車スペース。真ん前に柴崎の車が駐めてある。

かれはいま真っ赤なスポーツカーに乗っていた。このたびのナンバープレートは５０４８。ゴー、シバザキと読ませるらしい。

窓を開けた。スイカの種を飛ばすように、柴崎の車に唾を吐いた。

キッドが保健室にやってきたのは、それから数日後だった。学年末考査最終日の金曜、放課後である。入ってくるなり、黒い油性ペンを加持千夏に差しだした。

「うんこって書いといたから」

と不機嫌そうにいう。

「え？」

顎をしゃくって指し示すキッドの視線を追った。柴崎ご自慢の愛車のボンネットにうんこと大書きされている。

加持千夏はゆるんだ口元を手で覆った。しかし、悪戯書きはよろしくない。注意はしておかないと、と、キッドに目を戻した。

「……あのね」

キッドは、礼などいらないというふうに手を振って、加持千夏のことばを止めた。柴崎なんかに引っかかってんじゃないよと、あさってのほうを見ていう。

「くだらないじゃん、あいつ」

あくる日の土曜、加持千夏はまちなかにでかけた。

若者御用達のショップを覗いてみたのは、気まぐれを起こしただけとすることにしよう。

うちの服、年輩のかたにも人気があるんですよ、と、頬におてもやんみたいなチークを載せた店員に声をかけられ、脱力するような笑みがでた。せめて大人のかた、といえないものか。場違いなところにきたと思った。場違いな店に入ったことなら、前にもあったと思いだす。高級店だった。

ウインドウに飾られた、空色の手袋に惹かれ、店のなかに入っていったのだった。黒いワンピースの制服を着た店員が、加持千夏にキッド・スキンのその手袋の試着を許可するようにすすめてきた。ひんやりと柔らかな革の手触りが、加持千夏の体温に温められて馴染んでくる。

高価だったが、買えない額ではなかった。

クレジットカードくらい持っているし、冬の賞与は手つかずのまま預金している。

しかし、その空色の手袋は、たとえ買えたとしても、自分には不似合いだと思われてならなかった。その手袋をつけていくところも機会も、自分にはないような気がした。なめした子やぎの革の手袋。吸いつくようなその感触を加持千夏はよく憶えている。

場違いなところには近づかないほうがいい。若者御用達のショップを早々に退散し、地下街を歩いた。前方だけを見ていたつもりだったのに、キッドが視界に入ってくる。

たいそうきらきらした雑貨屋の店先にかれはいた。加持千夏は立ち止まり、引き返すか、通りすぎるか、瞬時、迷った。隠れたい、と、まず、思った。キッドに気づかれる前に隠れたい。

かれは、女の子といっしょだった。ふたりともストローつきの紙コップを持っていた。キッドは、女の子が次々に手に取る首飾りや指輪や髪留めとかのじょとを交互に見て、OKをだしたり、だめをだしたりしていた。

加持千夏はうっすらと笑った。

やはり脱力したような笑みだった。

うつむき、足音を忍ばせて、雑貨屋に入る。かれらが見ているアクセサリーの台と直角に置かれている細長い台にからだを向ける。その台には何十種類というパワーストーンがガラスのうつわに盛られて、ならべられていた。

ラピスラズリという石を指先ではじきながら、見つめ合うキッドと女の子の横顔を盗み見た。お似合いというよりは、正常な一対に思えた。あまりにも正常で、滑稽なほどだ。

スタイルのいい女の子だわ、と思った。痩せすぎではあるけれど。

お人形みたいな顔つきじゃないの、とも思った。まるで脳みそがないみたい。

「かわいくない？　これ」

甘ったるい声で女の子がピアスを指差す。

「買ってやろうか」

仕方なさそうにキッドがいって、その声音がほんとうに仕方なさそうだったので、加持千夏は吹きだした。キッドがこちらに目を向ける。あ、と、唇がひらいた。

加持千夏は口に手をあて、控えめに会釈をした。手を口に持っていったまま、店をでる。

「誰？　いまのひと」

女の子の声が聞こえる。

「保健室のおばさん」

キッドが答えた。かれの声は加持千夏の背なかにあたった。

ぎこちない日がつづいた。

冷静に考えると、ぎこちなくなる理由などなかった。不自然なのは、自分の心持ちだけだと思う。気がつかないふりをせよ。鈍感になれ。キッドが保健室にこないのは健康だからだ。ただ、それだけのこと。

「なんか、あったの？」

柴崎が訊いてきたのは年度末の打ち上げの席だった。学校近くのざっくばらんな寿司屋の二階。まあまあ一杯、と、柴崎がビールを注ぎにやってきた。

「さいきん元気ないじゃない、ちなっちゃん」

眼鏡のつるを左手で軽く押さえた。そのくすり指に指輪がはまっている。かれは結婚したのだった。相手は今春音大を卒業するお嬢さんで、来週から始まる春休みにハワイにて式を挙げる予定だそうだ。

「なにがあったのか知らないけどさあ」

柴崎が声を落とした。宴席の注目がふたりにあつまる。その注目を柴崎は意識しているようだった。

「なにがあったのかは知らないけど」

と耳の裏を掻きつつも、加持千夏のこのところの元気のなさの原因は、自身の結婚にあるとしているのは明らかだった。

「もう、終わったことだしさ」

「はい？」

低い声で訊き返したら、いや、だから、と柴崎はビールをらっぱのみした。

「うんことか、車に書くのやめてくれない？」

二週間前の話を持ちだしてくる。その事件は迷宮入りになりそうだった。柴崎は烈火のごとく怒ったが、教員や生徒の同情はあんまりひかなかった。全体朝礼で校長は生徒に注意したが、薄い失笑が起こったきりだった。海洋牧場の深海魚たちの失笑は、あぶくに似ている。

柴崎としては、生徒にきらわれて悪戯されたというよりは、加持千夏に恨みを買ったとしたほうが、同じ「不徳のいたすところ」なら、少しはましだと計算したと思われる。ところで、子どもたちとはうまくやっているのかね、と、校長にさりげなく探りを入れられたという話を、加持千夏は校務員のササキさんから聞いていた。

海洋牧場の深海魚たちが泳いでいるのは学校といういけすだが、泳ぐ魚がいなければ、いけすは、いけすとしてやっていけない。

「うんこみたいだから、うんこって書かれたんじゃないの？」

ビールの入ったグラスを持ち上げ、太い声をだした。

「酒癖、わるいよ、ちなっちゃん」

意地を張ってもいいことないと思うけど。柴崎が肩をすくめて職員一同に「お手上げ」のポーズをとった。そのおどけ顔に加持千夏はビールをかけた。

「酒癖がわるくて結構」

いいことなくて結構、と、胸のうちでつづける。

「あたしはビールもウイスキーも苦手なの」

といったら、古参の国語教員が、加持先生は焼酎がよろしいんですよね、と腰を浮かした。麦ですか芋ですかとメニューを繰り始めたのは教頭だ。

「……麦でお願いします」

テーブルに肘をつき、ひたいを押さえて加持千夏は答えた。かぶりを振ったら、笑いがでた。むやみに可笑しかった。笑いながら柴崎におしぼりを投げた。

「さっさと拭きなさいよ」

拭いたほうがいいな、と校長も笑った。禿頭を撫で回し、今夜は無礼講だと尚も笑った。


キッドと出会って、三度目の五月がきた。

加持千夏は満三十六歳で、キッドは高校三年生で、そしてかれは、昨日母親を亡くした。五月八日だった。

通夜に参列した加持千夏は、ならんで座るキッドと継父に型通りの悔やみをのべた。

クモ膜下出血で亡くなったというキッドの母は、遺影のなかで口を真一文字に結んでいた。

かのじょは加持千夏よりほんの少し年上なだけらしい。苦労の多い一生だったというのは、参列者がささやきかわすことばの切れ端から推察できた。

「まあ、それでも」「いいひとと縁ができて」「仕合わせな最期だった」らしく、「だからこそ」「もうちょっと生きていれば」「もっといい目にあえただろうに」、「昔の生活がたたって」「そう、たたって」、あっけなく亡くなったようだった。

地下街の雑貨屋で見かけた女の子のすがたはなかった。目をこらして探したのだが、加持千夏の視界にかのじょは入ってこなかった。

キッドは、それから、ひと月も学校を休んだ。

かれの担任は持ち上がりで柴崎だった。

柴崎がいうには学校をやめたがっているキッドを翻意させるのに時間がかかっているそうである。継父の世話にはなりたくないというキッドを、継父ともども説得にあたっていると柴崎は疲労困憊《こんぱい》のふうに、しかし、声高に語っていた。

「ちなっちゃん」

一七二・八センチ、六四・二キロ。座高は九一・六センチ。本校三年生平均とほぼ同じ体格のキッドが久しぶりに保健室に現れた。チェックのシャツにジーンズすがたのかれは、明日から登校を再開するという。

「うんこの顔を立てるわけじゃないんだ」

癖毛に指を入れて、かれはいった。柴崎のあだ名はうんこということで、生徒たちの意見は一致している。

「卒業まではこっちにいることにした」

「卒業まで?」

こっち? 加持千夏が訊き返した。キッドは浅くうなずいている。長椅子に腰を下ろした。ねえ、ちなっちゃん、と、顔を上げる。

「医者ってほんとうにご臨終です、っていうんだよ」

知ってた? と、ちょっと笑った。

「ペンライトみたいなので、まぶたをひっくり返して見て、聴診器で心臓の音を聞いて、腕をとって脈を診て、心電図っていうの? あれ止まってるのにさ、たしかめるんだよね。とっくに死んでるのにさ、誰が見たって死んでるのに、何時何分、息を引き取りましたっていうんだよ」

口のはたで笑いながら、首をひねる。

……島村さんが号泣してさ、と両手を膝に置いた。じつの息子より先に継父は亡骸《なきがら》にすがりついたそうである。

「波津子、波津子って洟《はな》垂らして」

五十すぎのいいおっさんがさあ、おいおい泣くんだよね。いったっけ？　キッドは加持千夏に目を向けた。かのじょが首を横に振らないうちに、口をひらく。

「あのひと、うちの母親と結婚するまで一度も結婚したことなかったんだよ」

キッドの継父は、元はかれの母親が週に三度働きにでていたスナックの客だったそうだ。

「しつこくて厭になるって、最初はいってたんだ」

それがわるいひとじゃないみたいというようになって、まじめだし、公務員だし、お酒だって強くないのに通ってくれるし、に急に変わったらしい。

わかる？　ねえ、ちなっちゃん、わかる？　とキッドは口元だけで笑っている。

「そのころから疲れてたんだよ、うちの母親。ぼくとふたりの生活にね」

ぼくのせいだ、と、キッドは吐き捨てた。

「ぼくのために好きでもないおっさんと結婚したんだ。いいカモだったんだよ、あのおっさん。それでも、ぼくが、ほら、波津子の忘れ形見になったもんだから、立派に育ててやろうと決心なんかしちゃってるんだな」

ばかだな、あのひと。うんこのことだって、いい先生だっていってるしな、ほんとにそう思ってるみたいだしな、と、手の甲で鼻の下を擦る。

「ねえ、ちなっちゃん」

キッドはこぶしで長椅子を思い切り打ちつけた。背後の壁もこぶしで打った。ガラス扉のはまった薬棚のなかで備品が揺れる。

「……ぼく、どうして、ちなっちゃんにこんなこと話してるのかなあ」

声を絞るキッドの目を加持千夏は見ていた。苛立ちと憎しみと憐れみが混ざっているが、それらはかれ自身にも向けられているようだった。

「どうしてなのかなあ」

尻上がりに語尾を太くしていくキッドの声は泣いていた。加持千夏はかれに近づき、手を伸ばした。はえぎわに指先が触れる。脂けのない癖毛を梳《す》いてやり、ゆっくりと頭を撫でた。かれの頭皮は湿っていた。育ちゆく者の、その過程のにおいがする。

キッドはおとなしく頭を撫でられていた。少しのあいだ、そうしていた。洟を啜り上げ、卒業したら、と呟く。

「秋田にいくんだ」

秋田の大学を受けるんだという。キッドの頭を撫でていた加持千夏の手が止まった。

「……どうしてまた」

と小さく訊くと、じいちゃんとばあちゃんがいるとキッドが答える。亡くなった母の実家が秋田にあるらしい。

「そう」

ほうけた声が加持千夏の口からでた。

「秋田にいくの」

と、キッドの頭から手を下ろす。

窓に目をやった。

新妻が妊娠中の柴崎の今の愛車は白いワゴン。ぼやけて見える。

「……泣く子はいねが？」

キッドはいつのまにか長椅子から立っていた。加持千夏が目を戻したら、思ったよりもうんと近くにキッドの顔があった。なまはげの真似をして、粒のそろった歯を剥きだしている。

「泣いてないけど？」

泣くわけ、ないけど？　キッドの肩口を軽く叩いた。

「わるさをする大人はいねが？」

キッドが足を踏み鳴らした。かれは、もう、加持千夏より十五センチも背が高かった。

さっき触れた肩口の硬さが加持千夏の指先に残っている。息を長くついた。浅く、何度もうなずいた。唇が強張る。笑おうとするから、尚更。

「いないわ、誰も」

といったら、涙がこぼれた。


加持千夏の沈黙は、スナック「チャオ！」の沈黙とひとしかった。

さほど長い時間ではない。

コルレオーネが上着の内ポケットから携帯を取りだした。青い海の待ち受け画面に午前二時十分と表示が浮かび上がる。

「ａｕ？」と加持千夏が訊いたら、「ａｕ」と答えた。

「ソフトバンクもいいよね」

池内暁が割って入った。

「孫《そん》さんとこの？」とコルレオーネが訊き、「孫さんとこの」と池内暁が鸚鵡《おうむ》返しをする。「孫さん、すごいよね」とコルレオーネがいい、「おれはゴーン派だけどな」と池内暁がひと差し指を振り立てた。

「おれはドコモ一筋」

永田一太がいった。

「で、やっぱり、なんだかんだいっても松下幸之助が神様だと」

「それをいうなら、わたしは本田宗一郎で」

花輪春彦もカウンターの向こうから参加する。

「ちなみに携帯は持ってないんですけどね」

との発言を受けて、加持千夏が目を上げた。

「腕時計は？」

いいちこをあおって、訊いた。

「それもなんだか邪魔くさくて」

花輪春彦が両手を上げて、振ってみせる。

「雨の日に傘はさします？」

「走ったほうが好きですね」

丸椅子に腰を下ろした花輪春彦は足を組み、組んだほうの足を両手でかかえている。

「マスター、独身？」

こらえきれぬように池内暁が訊いた。

「じつは一昨年から」と答え終わらないうちに、「ばついちだって、ちなっちゃん」と、コルレオーネ越しに加持千夏に報告する。

「その情報、このひとにも教えてあげてよ」

加持千夏は隣のエビスを指差した。

「独りになったみたいだから」

「いつだよ」

コルレオーネが控えめに驚いた。

「去年の冬だったかな」

加持千夏が答えたら、

「おいおい、おれ、年賀状だしちゃったよ」

池内暁が頭をかかえた。すぐさま体勢を立て直し、「で、別れた理由は？」と単刀直入に訊く。池内暁が理由を直截に訊ねられるのは、とうのエビスが寝息を立てているからだ。

「……知らないわよ」

訊いてないし、いわないし、と加持千夏が襟足の髪の毛を押さえた。

「いいじゃないか、べつに」

永田一太がいい、

「理由なんて、べつに」

花輪春彦も同意する。

カウンターに突っ伏して、エビスは静かに眠っている。

加持千夏が手を伸ばし、エビスのはえぎわに、指で触れる。なだめるように頭を撫でた。エビスは眉間にしわを入れ、寝息を立てている。

何度かいいよどんで、加持千夏は口をひらいた。

「誰かに、こうしてもらいたい夜が、あたしにだってあるわけよ」

眠るエビスの頭を撫でている。

「誰か、とても暖かいひとの手で、こうして頭を撫でられながら眠りにつきたい夜が、あたしにだってあったりするのよ」

大人になってもね、とかすかに笑った。

さしもの「ちなっちゃん」でもね、と、目を落とす。

かつて艶のあったエビスの髪は、繰り返した染色のせいだろう、ごわついていた。エビスの頭を撫でていた、加持千夏の手がふと止まる。

「ごめん、酔ってるかもしれない」

顔を上げて、声を張った。

「酔ってるってことにして、今いったこと、忘れてくれないかな」

「忘れませんよ」

花輪春彦が上半身を倒しながらいった。丸椅子から腰を浮かせて、カウンター下に手を伸ばす。

「忘れろたって、忘れられない」

黒い表紙のばね式帳面を膝に載せて、かんじと微笑する。半身をねじって後ろの棚の引きだしからペンをだした。

「お、でたね、帳面」

池内暁が手を打った。

コルレオーネも永田一太も笑っている。睡眠中のエビスをのぞけば、しまった、という顔をしているのは加持千夏だけだ。

誰か、とても暖かいひとの手で、こうして頭を撫でられながら眠りにつきたい夜が、あたしにだってあったりするのよ。

「やだ、ほんとに書いちゃったわよ、このひと」

カウンターに手をついて、スツールから腰を浮かせて伸び上がり、黒いばね式帳面に目をやって加持千夏が呟いた。

「誰かに頭を撫でられて眠りたい夜なら、こんなわたしにもありますからね」

花輪春彦が耳たぶを触りながらいう。

「あなただけじゃない」

加持千夏の頰に微笑がのぼった。顔いっぱいに広がっていく。スツールに腰を下ろし、爪先で床を擦ったら、きゅっと音が立った。足を踏み鳴らす。

泣く子はいねが。

口のなかでいった。キッドとは、かれが卒業してから会っていない。

わるさをする大人はいねが。

唇がちょっとふるえた。かれは今夜、誰かに頭を撫でられているだろうか。それとも、撫でているのだろうか。あのとき、わたしの頭に遠慮がちに手を置いて、泣くなよ、ちなっちゃん、と困り果てた声をだした少年は、今、なにをしている？

花輪春彦と目が合った。

頬杖をついて、加持千夏は福を呼ぶというビールへと視線を移す。せっかくだから、と、ビール瓶を持ち上げた。

「みんなで少しずつ、のんじゃおうか」

「福は分けなきゃね」

コルレオーネがうなずいた。

「田村もまだこないみたいだし」

と、加持千夏は池内暁に、「田村はまだか」という例の科白を暗に催促したのだが、池内暁はよそを向いていた。「それにつけても金のほしさよ」と最前茶化したのをまだ根に持っているようだ。

「勿体《もったい》つけすぎよねえ、田村」

加持千夏が独白した。花輪春彦は小さな五つのグラスに等分にビールを注いでいる。

「連絡はきてないんだけどな」

永田一太がいった。

「ひさびさのススキノで道に迷っているんじゃないの？」

とコルレオーネがビールの入った小さなグラスを池内暁から永田一太へと順送りする。

「気長に待つとしましょうよ」

花輪春彦も小さなグラスを持っている。

「ご発声を」

促されて、池内暁も小さなグラスを手に取った。僭越ではございますが、と、ネクタイを締め直す。

「それにつけても田村はまだか」

少々気取った声をだし、加持千夏をちらりと見た。

第四話　きみとぼくとかれの

四十歳である。独り身である。生命保険会社で営業所長をやっており、高給取りだが童貞である。

ただし、女扱いには慣れている。生保レディを二十人からたばねているのだ。妻のように、愛人のように、憎からず思っている教え子に対するように、時に応じて接し分けている。

褒めるにせよ、励ますにせよ、注意してやる気を鼓舞するにせよ、かれの態度は穏やかだった。鼻にかかった声は口調ともどもマーロン・ブランドに少し似ている。身長およそ百六十四センチ。「ゴッドファーザー」におけるビト・コルレオーネの矮小版という感じだ。

身だしなみには気を配っている。ジャケットもシャツもサイズが合っていた。観劇のおりには胸元にカーネーションを差すし、磨きあげた靴は老舗の一品。履き口から、いかにも上質な靴下越しに硬そうなくるぶしを覗かせる。だが、気障《きざ》には映らない。狭い肩幅や労咳《ろうがい》病みのような猫背がかれをやや頼りなく見せていた。ネクタイをきちんと結ばないのが、かれ流のくずしだった。だらしなさ一歩手前のしどけなさは女心をくすぐるものだ、と、誰に教わったわけでもないのに知っている。

おかげで、食事する相手にはことかかなかった。携帯電話のアドレス帳には、女たちの名がならぶ。こなをかけてきた顧客や、辞めていった元の部下たち、あるいはバーで隣り合わせた女たちである。

にもかかわらず、かれは、女を、知らなかった。かれは、つまり、「簡単」なのが好きではなかった。風俗店にいく気もない。簡単な女も、手段も、意に沿わない。坪田隼雄《つぼたはやお》は、世のなかにあるおおかたの出来事の比喩は性でこと足りると思っている。ことばあそびのようなセックスなら、要らない。

「田村はまだか」

池内暁がまたいった。坪田隼雄の頬にいくぶんシニカルな笑みがのぼる。いきそうでいかない女を責めているようだと思った。Ｊ＆Ｂが入ったグラスを揺すり、氷の音を立ててみせる。

「気長に待とうじゃないか」

きそうでこない誰かを待つ時間っていうのもわるくないんじゃない？　カウンターに肘をつき、手首の力を抜いてグラスを持ち上げ、Ｊ＆Ｂを啜る。そのふるまいを池内暁がすかさず真似た。鼻声も真似る。

「……わるくないんじゃない、てか？」

相変わらずだな、と、坪田隼雄の肩に肘を載せる。おまえ、むかしっからガツガツしてないよな、と坪田隼雄に向き直った。大きな手で首をしめるふりをする。

「もててんだな。相変わらず、もててんだな、この野郎」

坪田隼雄を揺すり始める。

「いや、そこが坪田くんのいいところで」

永田一太がとりなした。

「もてそうな雰囲気をだしてますよね」

マスターの花輪春彦も同調した。

「それがこのひとのキャラだから」

加持千夏が坪田隼雄の後頭部を指差した。でも、と、つづける。

「坪田のモテは今どきの女子には通用しないかも」

それってちょっと昭和かも、といいちこをのみほした。

「昭和のどこがわるいのよ」

カウンターに突っ伏していた女が顔を上げ、寝ぼけた声をだした。この女はヱビスビールを五本あけ、さっきから酩酊状態にある。

「あたしたちはみんな昭和の子じゃないのよ」

伸び上がったアザラシみたいにカウンターに胸を載せ、声を張る。

「そうだな」

永田一太がいった。

「ここにいるのは昭和の子ばかりだ」

いや、しかし、と、池内暁がカウンターをこぶしで叩いた。そのようすを見て、坪田隼雄は薄く笑った。いくつになっても腕白小僧のような雰囲気の男だ。少しうらやましい感じがする。

「坪田の時代が終わったとなると、いよいよおれの時代がやってくるかもしれない」

「おまえの時代は永久にこないよ」

永田一太がいい、

「そうね、こないわね」

加持千夏がいい、

「奥さんとお子さんがいるんだから、それでいいじゃないですか」

花輪春彦がいった。

「しあわせ家族」

エビスがかすかに笑った。七分袖の上着の袖口に顔を押しつけて寝ていたので、ひたいにボタンの痕がついている。離婚して日が浅いというかのじょの近況は、先ほど加持千夏により皆に知らされていた。池内暁が咳払いする。

「……まあ、なんだ」

世知辛《せちがら》い世のなかってことで、と坪田隼雄にうなずきかける。おれもおまえももてないってことで、と、とりあえずの結論を提示した。

坪田隼雄はひと差し指を頬にあて、浅くうなずき返した。体位を変えたようだと思っている。あるいは途中で照明をつけて、よく見ようとしたら、明るくしないでと女にいわれたような。そんなときは、と、坪田隼雄はわずかに笑った。目隠ししてやればいいんだ。ほら、真っ暗だろう、といってやればいい。

「……そんなもんだろ？」

「は？」

「そんなもんじゃないの？」

そんなもんですかねえ、と池内暁はひとりごち、おまえ、やっぱり、ガツガツしてないな、といった。

その女の子は、ウェブサーフィンをしていたときに偶然見つけたブロガーだ。かのじょのブログはランキングで最下位だった。誰と会った、どこにいった、なにをたべた、といった瑣末《さまつ》な日常を書いていた。「マイ・フェイバリット・シングス〜あたしの好きなもの」というブログタイトルからして平凡だった。プロフィールによると、かのじょの好きなものは、初雪の朝や、飛行機が離陸するときや、サルビアの蜜を吸うことらしいから、これまた平凡の範疇である。

あたしってこういう子なの、と打ちだしたい「女の子」が見て取れる。かのじょはきっと、ほんの少し風変わりに見られたいのだと坪田隼雄はたやすく見当をつけた。その風変わりさの頃合いは、映画「アメリ」のヒロインを手本にしているのだろう。

「アメリ」は三度、観たことがある。ロードショーと、DVDと、テレビの地上波放映だ。いずれもちがう女と観た。ロードショー以外は女の部屋だったが、かたわらに女がいるという状況には変わりない。女たちは、いずれもかれにしなだれかかる機会を窺っていた。ヒロインにみずからを重ね合わせているようだった。なにやら、いいだしかねていることがありそうである。

坪田隼雄は鼻の頭を撫で、うっすらと笑った。女たちは、一、夢見がちで、二、他人にはいらぬお節介を焼くが自分のこととなると臆病で、三、趣味のいい衣服に身をつつんだキュートなパリ娘と同じ心持ちでいるらしい。

ねえ、ちがうんじゃない？　といいたくなった。きみたち、と、スクリーン（あるいはテレビ画面）に映るヒロインを指差して、あの子と全然ちがうと思うんだけど、と。

かたわらにいる女たちは、おしなべて厚化粧だった。いや、薄いのかもしれない。なにをどうしているのかは知らないが、きれいにしてきました、というのはわかる。目の周りがややこしいことになっている。デッサン用の太く黒い鉛筆で擦り立てたような目のきわの上のまぶたはぴかぴかと白く、頰紅を丸くはたいていた。そうして、唇は滴るように濡れている。一様にだ。

横顔を盗み見ている男の視線は承知しているらしい。これも一様。つんとすまして、気がつかないふりをしている。そう、気がつかないふりだ。それが証拠に、視線を下げたら、腹を引っ込めた。返す刀で、という具合に、胸を持ち上げるようにして背筋を伸ばす。

すると、坪田隼雄には女たちの腰回りがいやにどっしりとして見えるのだった。そのくせ、居心地わるそうに座り直す、その落ち着きのなさもまた一様なのである。

パンティ、を、かれは想像する。レースがたくさんついた白いやつだ。三角の布地の中央上部にちっちゃなリボンがついている。股間の、ふっくらとした部分は恥丘という。恥丘の別名はビーナスの丘である。それくらい、かれだって知っている。ヘアを掻き分け、スリットを撫で上げるさいの指はなか指で、薄皮にくるまれた饅頭の、あんこがはみださない程度の強さでクリトリスを刺激するのが首尾というもの。

とても上手にできそうな気がする。手先の器用さには自信があった。さくらんぼうの軸の部分を口中で結ぶこともできるし、避妊具の装着は特訓のすえ、スムーズにできるようになった。かれの指で、舌で、ペニスで、女たちは、盛大によがることになる。

と、ここまで思って、坪田隼雄はやれやれと胸のうちで肩をすくめた。すでに一戦まじえた心持ちになっている。かれのなかでは、女は今やシーツを胸まで上げて、かれの腋下に鼻先をつけ、うっとりと目を閉じているのだ。

ただし、経過の詳細は割愛されていた。くんずほぐれつ、としかいいようのない映像には、音がない。

かれのからだはリアルに興奮していたが、若かりしころほど「たいへん」ではなかった。ピノキオとゼペット爺さんのあいだの年齢である。早くゼペット爺さんになりたいと思えば、ため息がついてでる。襟足を掻き、足を組み替える。かたわらにいる女の手に、てのひらを重ねた。女の指のあいだにこちらの指を分け入るように滑り込ませる。

女が意を決したように、かれの肩に頭をちょこんと載せてくる。三十女の「ちょこん」は重い。人妻なら、べつの意味で重い。とかく女は重いのである。素敵な白いパンティの奥にある、くろぐろとした穴の絵がかれのまぶたの裏にやってくる。穴は、やけに深かった。ほら貝みたいな音を立てて、かれを吸い込もうとする。

その女の子のブログをひらいた。

二十一歳。この年齢がほんとうかどうかはわからない。北海道在住。これはおそらくほんとうだろう。ブルースターと名乗っている。花の名前のようだった。

五つの花弁を持つ、青い花だ。つぼみはライラックみたいなピンクっぽい紫色で、咲きかけまではその色がつづく。花屋でたしかめたから知っている。三本ばかり、じつは買った。茎の切り口からは白いねばねばとした液体が垂れていた。それが、柔らかな葉にもなすりつけたようについていた。可憐な花だが、草のようなにおいがする。青くさいにおいだった。なんだか、嗅がずにいられない。コップに差している。自室の、机の上に置いている。ひと差し指でカーソルを動かしながら、また嗅いだ。ネクタイをゆるめながらだ。まだ椅子に腰を下ろしていない。さっき、会社から帰ってきた。今、夜の十時前だ。

上着を脱いで、椅子の背にかけた。机に手をつき、靴下を脱ぎにかかる。両足脱いで、放り投げる。ワイシャツをズボンから引き上げ、ベルトを外した。そこでようやく腰かける。

ブルースターと名乗るこの女の子に興味をひかれたのは、一週間ほど前だった。あと数日で六月になる土曜の夜だ。

かれは食事から帰ってきた。会社を辞めていった三十いくつの女から呼びだされ、「相談」にのっていた。「相談」にのるのは初めてではなかった。派遣会社に登録しているかのじょは、不満はあるものの一般事務として働いている。恋人とは別れたらしい。それもこれも坪田さんのおかげ、だという。飛び込みや知り合いの伝手《つて》を辿って営業をかける生保レディにはむかないこと、はっきりしない恋人との潮時、どちらも坪田さんがあたしに教えてくれました、と礼をいわれたのだが、坪田隼雄には憶えがなかった。

旭山公園などに置いてある、おどけたペンギン型ごみ箱みたいにつくねんと立ちつくし、ぽいぽいごみを投げ入れられた記憶ならあるのだが。

やっぱり、あたしって普通の女だったんですよね、というのがその夜の「相談」のようだった。

かのじょは上目遣いで「友だち」の話をした。六月の花嫁となるその「友だち」よりも、あたしのほうがずっと家庭的であると、暗にだが確《しか》とほのめかし始める。

坪田隼雄は穏やかにうなずき、鼻声で相槌を打った。そう？　そうだね。そうかもしれない。暖簾《のれん》を腕で押すような相槌をこころがけながら、……ちょっと待てよ、と、思っていた。食事をしたあとはどこかで一杯のむつもりだったが、取りやめにしようと決めた。そんなことをしたら、持っていかれる。

かれの眉が迷子になった子どものように下がっていった。もともと下がり気味の眉である。目の前の女は、「ん、もう」という顔をして、あとひと押しというふうにかれを軽く睨んだ。ナプキンで唇をそっとぬぐう。明日は急に仕事が入って、といったら、女の唇が柔らかに歪んだ。朝、早くて、とつづけると、とっくりというふうにうなずく。だから、と、いいかけたら、おうちに帰りたいのね、と唇をすぼめて笑った。おねむの時間？　と追い討ちをかけてきたその声は、最前までとは色がちがう。……ロングスリーパーでね、と、坪田隼雄は答えた。睡眠時間は長いほうがいいんだ。

家に戻り、ブルースターのブログをひらいた。軽く屈託していた。屈託の質はよくわからない。つかみどころがない感じがする。ブルースターの毒にも薬にもならない日常が読みたかった。犬がわんと吠えました、雨あがりに虹がでていました、かわいい帽子を買いました、どれもこれもわざわざ書き記して世間に向けて発表するたぐいのものではない。

坪田隼雄は、ブルースターには意見がないと思っている。あるのは若い娘の微笑ましい生活だけだ。なにを見ました、どうしました、が、かのじょの世界のすべてだと思われ、そこに好感を持っていた。見下ろすような好感である。

ところが、その夜のブルースターの日記は、少々ようすがちがっていた。

男のひとって、スピードが足りないと思うんです。なんか、おどおどしたひと、多いですよね。こっちがOKをだしても、ほんとにいいの？　って感じでなかなか行動に移してこないし。たまにガーッてくるひともいますけど、結構、勘違いだったりするんですよね。

たとえOKだしたひとがガーッときても、「あ、ちがった」ってさめちゃうこともあるから、勝手といえば勝手ないいぶんかもしれないんですけど。

でもでも、ちょっと好き、っていう部屋があたしのなかにあって、その部屋は海月《くらげ》みたいに半透明でふわふわしていて、摑めそうで摑めないんですよ。すごく好き、にも、そんなに好きじゃない、にも変わるんです。それは、その部屋に入ってきてもらわないと、わからないじゃないですか。

んー、やっぱりワガママなのかなあ。

いいたい放題いってるな。坪田隼雄は、一応は頰をゆるめた。行動に移したあげく、勘違いだの「あ、ちがった」だのといわれたら立つ瀬がなかろうと、ブルースターにいい寄った男たちに他人事ながら同情する。

鼻息がでた。「なんだ、その『あ、ちがった』って」と、口のなかでいったら、中っ腹が立ってくる。ちがいはそんなにすぐにわかるものなのかと思い始める。やり方に、ちがいがあるのか。それほど多岐におよんでいるのか。あいつもあいつもと知り合いのあれこれの顔を浮かべ、どんなふうにしているのだろうと考えた。

坪田隼雄のいう「やり方」とは入口であり、出口である。「それ」に至るまでが入口であり、「それ」そのものが出口だった。「それ」というのはセックスである。

知り合いのあれこれのほとんどが所帯持ちだった。出口をでた、その先にいる。坪田隼雄だって、世間的にいえば、自分が「その先にいるひと」になりつつあるのを感じている。多くは年齢的な問題だった。四十歳だと思えば、じっくりと驚く。四十！　このぼくが、と、心中でいい、このおれが、この私が、といいかえた。しかし、どれもしっくりこない。

出口のその先にいる知り合いのあれこれは、家のローンや子どもの教育、景気の動向にからめた見通しの立てづらい将来を憂ういっぽうで、まだまだ女に色気を見せている。そこはかとなくだが、坪田隼雄にはわかってしまう。おまえは現役だから、というようなことをしばしばいわれる。そんなとき、所帯持ちで、性が日常となっている知り合いのあれこれだって、「やり方」を気にしていると思うのだった。かれらにしても、「それ」に至るまでの入口が「それ」そのものの出口となっているようだった。「それ」とはすなわちセックスである。

ブルースターは、こう、つづけていた。

スピードですよ、スピード。ちょっと好きという部屋の、好き、を、電光石火で確認させてほしい。スローなほうがいいという子もいるかもしれないけど、あたしは断然スピード派です。

スピードね。坪田隼雄はひとりごちた。若い娘のいいそうなことだと思っている。なんにも知らないくせにといいたくなって、のみ込んだ。ブルースターは、よく知っているのだ。女はみんな、生まれつき「よく知っている」、ような気がする。

ブルースターのブログのアーカイブは三月《みつき》ぶんあった。毎日更新しているわけではないので、五十件ほどの記事である。さかのぼって読んでみた。

現在、かのじょには恋人がいない。高校時代の彼氏は癖毛の少年。交際期間は短かったようである。結局マザコン、と断じているところを見ると、乳臭いのは好みではないらしい。癖毛の少年は、三人目の彼、だったようだ。その後、四、五、六、と同年輩をわたり歩いている。破瓜の時期は定かではない。しかし、処女ではない。なぜなら美術系大学に通っている。アートを好む女は奔放であるとの前提が坪田隼雄にはあるのだった。やりまくってるんだろうなあ、と、ふと思い、胸のうちによぎったそのことばに遣いに頬が染まった。下品なことをいったと思っている。声にだしていったことなどない科白だった。だから、もう一度、いってみた。やりまくってんだろ。

丁寧にブログを読んでいるうち、ブルースターの生活がわかってきた。かのじょが好む雑誌は「mini」で、「InRed」は大人っぽいと思っている。しかし、「mini」は「mini」で子どもっぽいかなとも思っているようだ。

坪田隼雄にはそのちがいがわからなかった。本屋でビジネス書と併せて購入してみたが、どれもこれも同じような女の子たちが同じようないでたちで、笑うでもなくふくれっつらをするのでもなく、立ち姿を決めた写真が載っていた。こういう恰好をした女の子なら知っている、とは思った。筍《たけのこ》というか蓑虫というか、衣服を重ねて着る女の子たちだ。重ね目が段々になっており、からだの線を曖昧にしている。胸元や太腿を見せることはあるが、甘く柔らかではない。キャンディの包み紙のような衣服ではなかった。

ブルースターの朝食は豆乳をかけたシリアルが定番だ。乾燥果実が入っているやつ。昼は学食。おもな友人は「ハナちゃん」と「へーぞー」で、「へーぞー」は女の子らしい。この三人はアートでひと山あてたいと思っているふしがある。絵はがきをこしらえて、たまにフリーマーケットで売っているようだ。わりに盛況らしい。こうやって、小さな成功を重ねていくのが肝要としているようだった。

「ハナちゃん」と「へーぞー」とブルースターとで、創作集団をつくっているのだった。ブルースターの記述によると、「きらめくような才能はないかもしれないあたしたち」

だが、これはたぶん、謙遜と不安のあらわれだろう。グループ2HM。三人の頭文字だというから、ブルースターの本名はMで始まる。

フリーマーケットで売りさばいた絵はがきの写真が載っていた。浮き輪をつけた坊やが、青いソーダ水の入ったグラスにいざ飛び込まんというイラストである。坪田隼雄はグラスの左下に注目した。プリントアウトし、拡大してみた。Mikaと署名されている。

ミカ、と、胸のうちで読み上げて、坪田隼雄は薄く笑った。そうか、という心持ちである。近づいた、と、思っている。ブルースターが、ほんの少し、なまみになった。かれはあわく想像する。豆乳をかけたシリアルをスプーンで掬ってたべるブルースターの唇には白い痕がついている。親指の腹でぬぐってやって、たくさんたべて大きくおなり、とでもいってやりたい、ような気がする。この心持ちは概ね父性愛に立脚しているが、ブルースターがおねだりしてきたら、やぶさかではない、ような気がする。おねだり、って。中年男のいいそうなことをいったと坪田隼雄はかすかに舌打ちした。おねだりされちゃ困る癖に、と、自嘲してみる。……うまくやれるだろうかとつづけて思い、スムーズということばを心中にのぼらせる。

ぼくはなんだか、と思ってみて、ぼくをおれに、おれを私にいいかえる。今、すごく正直だった。ここが、と、左胸に手をあてた。ここの奥が少しだけ、どきどきする。女を知らなかったころに戻ったみたいだ。いや、今でも知らないのだが、あのときの気持ちに戻ったみたいだ。ぼくは、おれは、私は。

青い星という名前の、花のにおいを嗅いだ。この一週間で、ブルースターがより身近になっている。ワイシャツのボタンを上から順に外していって、ズボンから裾をだした。袖のボタンをゆっくりと外しながら、ブルースターの「今日」を読む。

半袖を着ました。今年初めての半袖です！

フリスクを齧《かじ》ったときみたいに、すうすうします。あたしの肘。二の腕。裏側はまだ日に灼けていないってこの感じ、けっこう、好きです。

夕方になったら、ちょっと寒かったけど、でも、家に帰る途中、夏のにおいがしました。濃い緑色のにおいは、さっき、窓を開けたら、もっと濃くなっていましたよ。

初めての半袖で最初に会ったのは、お隣のおにいさんでした。おにいさんっていっても、もう、おじさんなんですけどね。

でも、なんか、ちょっとカワイイんですよ。全然普通のサラリーマンなんだけど、頭をね、こう、ぎゅっと抱きしめたくなるような。

むかしはそんなこと思いもしなかったんですけど、不思議ですよね。ある日突然、隣のおにいさんが男のひとに見えることもありなんだなあと思ったりしました。

そのある日は、もしかしたら、今日だったかもしれません。ナンテ。


ナンテ、と、復唱し、坪田隼雄の胸がにわかに高鳴る。椅子から立ち上がって、窓辺に寄る。隣家の二階に目をやった。明かりがついている。カーテン越しにひとかげが揺れていた。窓を開けた。それでも、ひとかげは揺れて見えた。息を吸うと、夏のにおいがする。濃い、緑色のにおいだ。

隣家の長女は美佳《みか》という。美術系大学に通っていて、坪田隼雄とは十九ちがいだから、たしか二十一歳。

合っている、と、思った。

おまけに今朝、顔を合わせている。半袖のブラウスを着ていた。これも合っている。隣家の長女はだらだらと長い燕脂《えんじ》色の袖なしカーディガンを羽織り、細いジーンズをはいていた。大きな布製バッグを肩にかけ、おはようございますとかれにいった。二の腕と、肘の白さが印象的だった。夏なんだな、と思ったことを思いだしている。夏がきたんだな、と、思った。

きみだったのか。隣家の二階を眺めて坪田隼雄は腕を組んだ。きみをおまえにいいかえて、おまえをあなたにいいかえる。ブルースターといっても、美佳ちゃんといっても、しっくりこなかった。でも、なんて呼びかけていいのかわからない。

森村美佳なら、生まれたときから知っていた。

初めて会ったのは、かのじょが産院から家に帰ってきたときだった。月曜日だったと思う。なにかの振替で大学は休みだった。ツーリングにいかないかと友人に誘われ、坪田隼雄は原付バイクを押して家をでた。十九歳。平忠彦にしびれていた。当時のスター・ライダーだ。「汚れた英雄」という映画でレースシーンのスタントをやっていた。バイクに乗っていると、坪田隼雄の頭のなかで主題歌が聞こえる。ライディング・ハイ、ライディング・ハイ、と、眉根を寄せて高みにのぼっていくような女の声だ。今日もきっと聞こえるだろうと思っていた。石狩、厚田、浜益、そして雄冬《おふゆ》峠に至る海岸線にはスリルたっぷりのコーナーがある。できれば、地面を膝で擦りたい。

その赤ん坊はピンク色のおくるみにつつまれて眠っていた。森村のおじさんが運転するセダンから、おばさんに抱かれて、降りたのだった。

「美佳っていうの」

と紹介され、

「おにいちゃん、よろちくね」

と声色をつかわれ、ぐっすり寝入った赤ん坊の顔をぬっと突きだされても、坪田隼雄としては返答に窮した。

「……よろしく」

ひどく不明瞭に挨拶したのを憶えている。眠る赤ん坊にだ。ばかばかしい気持ちが霧散したのは、赤ん坊が目をひらいたからだった。ばかりか、歯のない口で笑った。ちょうなの、おにいちゃんが好きなの、と、おばさんがいい、いえ、そんな、と、かれはキャップをかぶり直した。

以上、思い返せば、という性質の記憶である。現在の心境の色がついて、意味ありげなエピソードになっている。なわけない、と、坪田隼雄だって思っている。しかし、どうにも気持ちがみずみずしくなってくるのだった。ブルースターのブログには、「隣のおにいさん」に関する記述が確実に増えている。かのじょもまた、どんどん「思いだして」いるらしい。

あたしが幼稚園に通っていたとき、おにいさんに手を洗ってもらったことがありました。

あたしは当時、どろんこあそびに凝っていて、マイバケツのなかで土と水を混ぜてはどろをつくり、塀になすりつけていました。

うちの石塀だけではなく、隣の塀にも進出し、「こらっ」とおにいさんに叱られたのでした。

でも、おにいさんはすぐに笑って、あたしを庭につれていって、蛇口をひねって、水をたくさんだして、あたしの手を、爪のなかまできれいにしてくれたのです。

今、思うと、結構、エロい状況かも。おにいさん、ロリだったのかなあ。

いや、ロリじゃない。坪田隼雄はちょっとむきになって反論した。そうじゃないんだ。たしかに年輩の女は苦手だ。体格にかかわらず、腹が据わっている感じがする。なぜそんなに据わっていられるんだ、その根拠はなんだと訊きたくなるほどだ。しかし、内股の筋力は弱くなっているらしく、腰かけたときには、太腿がゆるみがちだ。思わず、目をそらしたくなる。(しかし、見てしまう)(とはいえ、ありがたくない)

同じゆるいのなら、若い女のほうがいい。そりゃそうだろう、と坪田隼雄は同意をもとめるように心中で呟く。とはいえ「ゆるい」のは好みではなかった。ぴったりと閉じた太腿にてのひらを差し入れて、窮屈さを感じたい。こじ開けるようにして、両足をひらかせるのがいいのだ。あらかじめ、ぱっくりという具合にひらいていては興ざめだ。

どろんこあそびに熱中していた森村美佳の幼稚園時代を坪田隼雄は思いだした。

かのじょは石塀にどろの手形をつけていた。坪田家の石塀は、森村家よりもやや高い。森村美佳は背伸びして、小さな手形を石塀の上に音符のようにならべていっていた。

「こらっ」と叱ったのはほんとうだ。びくっとふるえ、おびえた目をした森村美佳を愛らしいと思ったのもほんとう。かのじょは五、六歳で、坪田隼雄は二十四、五だった。

好きな女がいた。かかりつけの個人内科医院で働くナースだ。かれより少し年上で、注射針を皮膚に刺すとき、舌を舐めるのが癖だった。よくよく見れば、白衣越しに下着の線が浮きでてくる。ブラジャーのホックまで、くっきりとだ。かれのからだは、たちまちリアルに反応し、「たいへん」だった。ナースはちらりとそれを見て、素知らぬ振りをする。いちいち気にしちゃいられないというふうで、坪田隼雄は負けた気になった。

どろをこねくりまわしていた森村美佳の小さな手は汚かった。乾燥したどろ、なま乾きのどろ、新鮮などろが重なり合って、手袋をはめているようだ。

手を洗ってやったのは、異性愛によるものではない。しかし、年長者が年少者に対するというよりも、もう少し親愛の情があった。坪田隼雄はひとりっこである。生まれたときから知っている隣家の女の子に対する気持ちの持ちようや、ふるまい方は知らなかった。

森村美佳の柔らかな手を、水道水を勢いよく流して洗った。森村美佳はくすくす笑った。指のまたのどろを落とそうとしたら、身をよじって笑う。くすぐったい、くすぐったい、と草の葉をころがる水滴が落ちるような笑声を立てた。

目が合ったことを、坪田隼雄は思いだした。笑いが途切れ、でも、胸や腹をまだ振動させて、森村美佳は真っ黒な、大きな瞳をかれにむけた。長い睫毛《まつげ》だと、そのときは、思った。もっと、という目に似ていたと、今にして思っている。

隣のおにいさんとは、いきあったときに挨拶するくらいの関係です。といっても、あんまりいきあわないんですけど。

おにいさんは大人時間で動いていますからね。あたしの時間とはそんなに合わない。あたしは、ほら、子ども時間でも大人時間でもない、中途半端なあたし時間のなかにいる。まだ。

でもね、最近、なんか、いきあっちゃうんですよ。

一限目から授業がある日の朝は、ここのところ、百発百中で会っています。でも、ただ、挨拶するだけなんですけど。

おにいさんは通勤には車をつかっていなくて、地下鉄に乗っていくみたいで、それなら、あたしと同じ交通手段なんですけど、おにいさんってば、ものすごく足が速いんですよね。競歩ですかって勢いで歩いていくから、肩をならべて歩くなんて夢のまた夢なんです。


百発百中に決まっている。

かのじょが八時十分に家をでるのは月、水、木だ。

でがけには、棚から香水を選んで、手首に垂らして、擦り合わせる。かのじょはミニチュアの香水をあつめているらしく、それ専用の小さな棚がある。

坪田隼雄は寄せたカーテンに身を隠し、月、水、木の朝のかのじょを見つめる。かのじょの部屋の窓にかかっているのはレースカーテンきりだ。隣家との距離は三メートル弱。わりによく見えるのだった。

タイミングを合わせて、坪田隼雄は部屋をでる。

紺のスーツはやや細身のシルエットを選んだ。青いシャツに明るい色合いの小紋柄の絹のネクタイ。地味すぎず、派手すぎない。シックなはずなのに、ブルースターには、全然普通のサラリーマンとひと括《くく》りにされている。

年収、これでも一千万をちょい切るくらいなんですけどね、と反論する。食事する相手には不自由していないし。かのじょはまだ知らないんだな。ぼくの車がアウディだってこと、さくらんぼうの軸を口のなかで結べるってこと、と思い、くだらないことをいっていると思う。

年金暮らしの両親に見送られて家をでる。六十九と六十七だ。身をかためたらどうだとは、もう、いわない。というより、今、息子が結婚し、嫁のいいなりになったら困ると思っているようだ。このままがいい、と、かれらは願うように思っているにちがいない。自分たちが死ぬまで、ずっと、このままの暮らしがつづいていったらいいと、たぶん。

石塀をでたら、ブルースターと顔を合わせる。

「おはようございます」

先に声をかけてくるのは、いつだってブルースターのほうだ。

「おはよう」

と答えて、坪田隼雄は安堵する。大人の男になった気がする。ブルースターが書き記す「隣のおにいさん」のかれになった心地になる。

「今日も暑くなりそうだね」

かれがいいそうなことをいう。まだ弱い日差しの太陽を目を細めて眺め、おんなじ毎日を恬淡《てんたん》と送る、全然普通の、年上の男をやる。全然普通と思われるのはわるくない。だって、かれは、普通の男だ。そのかれをきみは憎からず思っている。

しかし、早足になる。駅までの道のりは七分ほどだが、坪田隼雄にとっては充分、長い。七分ものあいだ「かれ」ではいられないような気がする。きっと、ぼろがでるだろう。

大人の男は忙しいんだ、小娘にはかまっていられないんだ、社についたらあれをやってこれをやって、あ、その前にあれを片づけないと、というふうな、なけなしの芝居を打って、「じゃ」とブルースターに声をかけ、ひとりで歩いていく。

速度を落とさない坪田隼雄の胸に、ブルースターの黒い瞳が残っている。ほのかな笑みを浮かべ、仕方のないひと、と、いっているふうである。

早足で歩きながら、坪田隼雄はスピードを思う。月、水、木の朝、それ以外の夜、ブルースターは、かれとのスピードを思い描いているにちがいない。早く、あたしの、ちょっと好きって部屋に入ってきて。海月みたいに半透明の、柔らかな部屋に入ってきて。早く。

でも、勘違いっていわれたらどうする？「あ、ちがった」といわれたら？そもそも、全部、ちがっていたら？ブルースターが森村美佳でなかったら？

どちらにしても、なまみのきみは、くろぐろとした穴を持っている。ぼくが、おれが、私が、うまくやれる男だと思っているんだろう、きみは、おまえは、あなたは。うまくやれるさ、と、坪田隼雄は息をつく。ぼくがかれならうまくやれる。でも、ぼくはかれじゃないんだ。ぼくは、おれは、私は、かれではない。

文化祭の準備を始めたら、夏が終わるんだな、と、感じます。

隣のおにいさんとの進展はなし。朝の挨拶とお天気の話だけ。普通にご近所さんの会話なんですけど。

意識はしてると思うんですよ。あたしだって、いつまでも隣の小さな女の子じゃないんだし。

ガーターストッキングを買っちゃいました。これは、あたしにとって事件です。といっても、スカートのなかの事件だから、おにいさんにはわからないと思うけど、でも、ムードは伝わるはず。セクスィって、そんなもんでしょ？

……知ってる、と、坪田隼雄は頬杖をついてパソコンを眺めている。窓に目をやった。九月一週、月曜日。今朝、ブルースターは黒いガーターストッキングを身につけ、鏡の前でポーズをとっていた。今朝、レースカーテンは少し開いていた。その隙間から娼婦のような足が見えた。パンティも黒で、ショッキングピンクの花だかリボンがついていた。

白ならまだしも、と坪田隼雄としては少し残念である。そんな恰好をするなよ、ブルースター。それが、かれの好みだと思っているのか。

坪田隼雄の思いとは裏腹に、森村美佳はポーズを大胆にしていった。せっかくはいたスカートをたくし上げ、尻を突きだしたりする。坪田隼雄はかぶりを振った。渋面をこしらえているものの、視線をそらすことができない。ずいぶん堂に入った尻の突きだしようじゃないか、と思えば、喉が渇いて、舌がくっつきそうだ。やりまくってんだろ、と、いいかけたが、口のなかでもことばにならない。リアルに興奮する。久方ぶりの「たいへん」だった。

でも、今朝は会えなかったんです。

ゆっくり歩いて、おにいさんがやってくるのを待っていたんですけど、からぶり。

秋なんだなあ、と、妙にしっとりと思ってしまったあたしでした。

半年、経った。

坪田隼雄はJ&Bの入ったグラスを揺すっている。音は立ったが、澄んだ音ではなかった。融けかけた氷は、角がとれている。ブルースターは移り気だった。文化祭の準備をするうち、隣のおにいさんより、同級生のほうがよくなったらしい。

「坪田ってゲイなの？」

加持千夏が訊く。腹を割って話をしようよ、と、そういえば、いっていた。

「ではないと思うけど」

「じゃあ、どんな女がいいのよ」

どんな、って。口ごもる坪田隼雄を尻目に池内暁が声を張った。

「おれは、ぽっちゃりしたのがいいな」

「わかりやすいな」

永田一太が笑った。

「舞妓さんの恰好をさせたら似合いそうな子だ」

どすえ、って感じの、と池内暁がうなずき、急にわかりづらくなったな、と、永田一太が雑《ま》ぜっ返す。

「だらりの帯をほどくんだ」

池内暁がつづけ、

「ぐるぐる回すのか？」

と永田一太が訊く。池内暁がしかり、といわんばかりに腕を組む。

「やはり、一度は回してみたい」

「回してみたいですね」

マスターの花輪春彦も賛同した。

「同じ回すんなら、おれは、旅館の仲居さんがいいな」

ちょっとわけありふうのさ。胸が薄くて柳腰の、と永田一太がいった。酔いのため、まぶたが赤らんでいる。いいですねえ、と、花輪春彦がまたしても賛同する。

「あばらが少し浮きでてみえるような？」

「ほつれ毛が頬にかかるような？」

と意気投合している。

「薄幸そうなのがいいわけね」

加持千夏がいった。

「そういう女とかかわると不幸になるわよ」

釘を刺す、という口ぶりだった。

「……たまにはそういうのもいい、という意味だよ、ちなっちゃん」

永田一太がとりなしにかかる。

「本気で、はまるわけないさ」

永田一太のほとんど呟きの声は、思いのほか、店内にひびいた。

「つめたいじゃない？」

加持千夏がいい、

「永田くんって、ときどきすごく冷淡なのよね」

とつけ加える。あんただけよ、あたしが呼び捨てにできないのは、と、いいちこのキャップをひねった。

「ちなっちゃん、腹、割りすぎ」

坪田隼雄がアイスボックスから氷をトングで挟んで、加持千夏のグラスに入れた。

「坪田はどうなの？」

どんな女がいいの？　と訊く。

坪田隼雄は少し、考えた。カウンターに肘をつき、顔をややかたむけている。髪に指を入れて、掻き上げた。ゆっくりと口をひらく。ぼくは。

「青い星みたいな女の子がいいな」

「頼むよ、坪田」

池内暁が大げさにかぶりを振った。

「この期《ご》におよんでスカすなよ」

おまえ、もう、三時近くだぞ。おれたち、満で四十だぞ。どのつらさげて、青い星みたいな、っていってんだよ、とまた、坪田隼雄の首をしめるふりをした。

「あの遠い夜空で、さえざえとかがやいちゃってる青い星かよ」

……そうだよ、と、坪田隼雄はいおうとした。あの遠い夜空で、きみとぼくとかれとの光をあつめてかがやく青い星だ。なんてね、と苦笑したら、カウンターのはしから物音がした。

エビスでつぶれた女の肩が、がくん、と、下がった。スツールの足置きにかけた足が外れ、それで物音が立ったらしい。顔を上げて、うつろな目を泳がせている。首をかしげて、ふたたび、突っ伏した。池内暁が坪田隼雄から手を離す。

「……夢をみたんだな」

上着の襟をしごくように払って、坪田隼雄がいった。

「落ちる夢だな」

池内暁もうなずいた。

「授業中によくみたわね」

加持千夏がひっそりと笑った。

「あれは怖い夢だった」

永田一太が足を組み替える。

「夢は、怖いものなんじゃないかな」

うまくいえないけど、と、坪田隼雄が控えめに肩をすくめる。

「黒い穴に吸い込まれるような感じがするんだ」

いつも。

「いつも?」

花輪春彦が訊き返した。坪田隼雄は、ハッ、と笑った。

「いつも」

と答える。カウンターをひと差し指でとん、と叩く。

「臆病なんですよ」

だから、青い星がいいんだ、という声が低くなる。花輪春彦はカウンターのむこうで耳たぶを触っていた。その手を止めて、そうですね、という。

「青い星は素敵だ」

遠い夜空にかがやいているのなら特に、と、ゆっくりといった。丸椅子に腰かけている。半身を倒し、カウンター下からばね式帳面を取りだした。

「青い星みたいな女の子がいいな」

だろ？　池内暁が花輪春彦にいい、ご名答との返りがくる。スナック「チャオ！」のマスターは、客の呟くよしなしごとの断片を帳面に書きつけているのだった。仕事が終わり、無人の店で、ページを繰るのが愉しみなのだそうだ。

「老後の愉しみにもなる」

たぶんね。浅く笑って、ボールペンを走らせる。さよなら、ブルースター、と、坪田隼雄は胸のうちで呟いた。ぼくはきみのかれじゃなかった、と思い、おれは、私は、と、いいかえる。

「遅いな、田村」

池内暁があくびまじりにいう。太い腕を突き上げ、伸びをした。

「おれたち、一体、いつまで待てばいいんだ？」

青い星を待つみたいなもんだな、と坪田隼雄に笑いかけた。坪田隼雄も笑い返した。

そうだな、と鼻声で相槌を打つ。

「でも、青い星なら、待ってもこない」

待ってるだけじゃだめなんだよ、とことばを投げた。

「なんだよ、おまえ」

迎えにいけってか。半笑いで訊ねる池内暁に坪田隼雄が向き直った。

「すぐ近くにいたんだ」

ぼくを待っていたんだ、といい、

「おれを、私を」

といいかえた。池内暁が首をひねる。

「それ、全部、おまえだよな」

ぼくでもおれでも私でも。

「……そうだ」

全部、ぼくだ。坪田隼雄は放り投げるように、しかし、爽快に笑った。早くこいよ、田村、とJ&Bのオンザロックをあおる。熱いものが喉を通った。おまえは遠い夜空の星じゃない。おまえはきみでもあなたでもない、と、口のなかでいう。

「田村は、田村だ」

ぼくが坪田隼雄であるように、きみが森村美佳であるように、ブルースターがブログで書いたかれはこの世に存在しない。マスター、と、呼びかけた。

「さっきの帳面に書き加えてくれないか」

おやすい御用で。花輪春彦が請け合った。膝の上で帳面を広げる。

「『青い星みたいな女の子がいいな』のあとですね」

坪田隼雄が顎だけでうなずく。

「なぜなら、ぼくはまだ女を知らないから、と、一行」

そういったら、ボールペンの尻を顎にあて、花輪春彦が異を唱えた。

「それなら、わたしも知っているとはいえませんが」

「おれも知らない」

永田一太が笑う。

「わかるか、って話だよな、実際」

池内暁が坪田隼雄の肩に肘を載せる。

「だから、青い星みたいな女の子がいいんだろ？」

どこかにいるんじゃないかって思ってんだろ？　この野郎、と肘で小突く。ロマンチックなこって、と鼻で笑った。いや、と、坪田隼雄はやんわりと否定した。

「スピードをだすつもりだ」

もう遅いかもしれないけど、青い星は案外近い、と明瞭にいった。たしかに。花輪春彦が頬を撫でる。

「地球は青い星ですからね」

それに、と、少し間を置いた。

「遅すぎるということはない」

現にわたしたちは、と一同を見わたす。

「田村さんを待っている」

青い星で？　と、坪田隼雄が訊いた。青い星で、と、花輪春彦が答える。

海があり山があり酸素がある青い星で、動物たちは今もどこかで大らかに腰を振っている。そんな絵が坪田隼雄のまぶたの裏にきた。比喩ではなかった。比喩ではなく、性を思った。この青い星の上で、と、つづける。

雄たちは、くろぐろとした謎の穴に、得体の知れない柔らかなものに、今日もどこかで挑んでいる。日が暮れ、夜になり、朝日がのぼる毎日のなか、今、ぼくはきみを思っていて、田村久志はスナック「チャオ！」を目指している。

待っているのは誰だ。田村か、きみか、ぼくか。さよなら、ブルースター。ぼくはスピードを上げる。だから、おまえもスピードをだせよ、田村。おまえがこなけりゃ始まらないんだ。

第五話　ミドリ同盟

　J&B。花輪春彦はオンザロックをつくった。カウンターの右はしに座る客の前にグラスを置く。客が早速ひと啜りした。永田一太は常連だ。月に二度は友人知人をともなってきてくれる。今夜も四人の客を連れてきた。あわせて五人が、カウンターに座っている。

　スナック「チャオ！」は、花輪春彦がひとりでやっている店である。カウンターの奥と背後の棚とのあいだに置いた丸椅子が、かれの席だった。

　腰を下ろして、カウンターの左はしの女を見た。突っ伏して、眠っている。最初は威勢がよかったが、エビスビールを五本もやるうち、つぶれてしまった。隙のなさそうな女だったが、意外と無邪気な寝顔である。見かけほど練れていないと花輪春彦は観察した。永田一太に目を移し、できてるな、と、推測する。今夜の永田一太は、ようすがいつもとほんの少しちがっていた。左はしの女と視線がいきあわないよう、細心の注意を払っているようだった。足を組み、花輪春彦は控えめにかぶりを振った。できちゃったものはしょうがないね、と左耳を触る。

かれの左耳には穴の入口の前に突起物があった。軟らかくて、弾力のある手触りが面白いので、つい触れてしまう。揉みしだくように触りながら、店のなかをあらためて見回した。二周年、と、口のなかでいった。

退職、離婚、禁煙、開店。すべて、一昨年のことだった。数珠つなぎでやってくる二周年の記念日を思ったら、ひとり笑いが滲んできた。まずは「離婚」に思いをはせる。

証券会社に勤めていた。広報部の課長だった。結婚生活は二十年目に入っていた。結婚記念日には妻とふたりで中華をたべた。皿のならんだ卓が入るようにと注文をつけ、ウエイターに夫婦の写真を撮ってもらった。東京の大学に通うひとり息子にメール添付で送りつけ、仲睦まじいことで（笑）と返信をもらい、妻と顔を見合わせて笑ったものだ。当時四十四歳。大過なく日を暮らしていた。波立つこともあったが、大波ではなかった。少なくとも、その年の春までは。

新卒で配属された若い娘は、マシュマロみたいにもっちりと白かった。目と目のあいだが離れていて、そこがひらたい。「いける」と思わせるひらたさだった。ふたりっきりになって、誘ったら、いける。落ちる、と、思わせるゆるみを発していた。あとはタイミングの問題だと、花輪春彦としては考えた。書類をわたすたび、たまさかエレベータに肩をならべて乗るたびに、間柄が温まっていく感じがしていた。

チャンスは、案外、早くやってきた。マシュマロと「ふたりっきりで」出張する機会を得たのだ。一泊だったが、なるようになった。

積極的だったのは、マシュマロのほうだったと花輪春彦は今でもそう思っている。離れぎみの垂れ目を半眼にし、めくれた上唇を半ばひらいて、「酔っちゃったみたい」としなだれかかってきたのだから、ムードをだしてきたのはそっちだろうというのが、花輪春彦のいいぶんである。

むろん、口にはださなかった。このいいぶんに非公式ながら同情する者はいるかもしれないが、正面切って賛同する者はいないものと思われる。

あろうことか、マシュマロは、親に広報課長との一夜を報告したのだった。「初めての出張、どうだった？」と親に訊かれ、なにもかも白状したというのだから、マシュマロは少しばかではないかと花輪春彦は思った。「課長には逆らえなかった」と、さめざめ泣いてみせたそうだから、たちのわるいばかである。

同僚から耳打ちされて、花輪春彦は文字通り頭をかかえた。かかえながら、マシュマロの肌つきを思い起こした。かのじょの肌は白くて柔らかで、その癖、ふれるとよく弾む。もっちりしやがって、と、奥歯を嚙みしめたくなったのだから、ばかはどっちだという気がした。

ひとり娘が陵辱《りょうじょく》されたと怒り心頭に発したマシュマロの父は、人事部長だった。かれは娘を退職させ、花輪春彦を閑職に追いやった。間のわるいことに、このころ、小児時代の喘息《ぜんそく》が再発した。息が苦しく、胸が痛い。妻の態度が病状に拍車をかけた。花輪春彦は一段と猫背になった。

妻は静かに怒っていた。元来口数の多いほうではないのだが、なにしろなにも喋らない。こちらに寄越してくる目玉の奥が真冬の井戸水のようである。脳天にひびくほど、冷たい。

妻は長い首を伸ばし、深いため息をついてみせた。青筋の立ったこめかみに指をあて、いつまでも揉んでいた。頭痛持ちの女だった。ホルモンバランスの乱れのせいで酷くなっていたところへもってきて、夫が不始末をしでかしたというわけだった。かのじょは花輪春彦と同い齢だ。更年期が始まっていたのかもしれない。

「やり直すのなら、今しかないと思うの」

ある夜、寝しなに、こう、いってきた。

クリーム色のパジャマを着た妻が、居間のソファで居住まいをただしている。すこぶる姿勢のよい妻だった。たとえば、居間から流しへ、流しから食卓へと、三ＬＤＫのマンション内でも、赤絨毯《じゅうたん》を踏むようにして歩く。

「そうだな。やり直すとするか」

おととしバリ島で買ったケチャック・ダンスのＴシャツの裾をたぐって腹部を掻きつつ、花輪春彦が同意した。この品のない仕草は、照れによるものだった。かれは、妻が、和解を申し入れてきたと思っていた。水に流して、いちから始めましょう、と提案されたと解釈した。

ところが、うっすらと笑った妻がセンターテーブルの下から取りだしたのは、離婚届だった。罫線《けいせん》はみどり色。テレビドラマでよく見る用紙だが、現物を見るのは、花輪春彦は初めてだった。

「……あ」

そう声をだして、今の声はうすのろみたいだったと反省した。複雑に驚いていた。やっぱり、という感じがなくもなかった。やっぱり、そっちか。和解じゃなくて別れるほうか、とじつは思っていたことに、ふいに気づいた。いっときますけど、と、妻がいった。

「今回のことばっかりじゃないのよ」

今回のこと、とは、新卒の女に手をだして、閑職にまわされたことらしい。夜通し咳き込み、妻の安眠を妨げることも入っているのかもしれない。

「前から考えていたの」

花輪春彦はぐうと唸り、此度も複雑に驚いた。妻のそんな心持ちに気がついていなかったといえば、なんとなく嘘になる。きっぱり「嘘」といえないのは、夫婦というのは「そんなもの」だと思っていたからだった。相手が心底でなにを考えていようとも、毎日平穏に暮らせたら、不都合なんぞはちっとも起きない。それでいいと思っていた。

妻は居住まいをただしている。しかし、花輪春彦の目には、うずくまったへびに見えた。へびは、とぐろを巻いている。

何年いっしょに暮らしていても、妻には腹を割っていないような、割ったとしても、腹のなかにまた腹があるような、そんな感じをいだいていた。そのなかに離婚したい、と思う気持ちがあったとしても、奇妙に得心がいくのだが、それは「そうだったのか」というほどのもので、まだ、現実味がなかった。

「お友だちとミドリ同盟をつくってたのよ」

「ミドリ同盟？」

「だんなが定年になったら別れましょうね、って同盟」

花輪春彦は左耳に手をやった。揉んで、引っ張ったら、妻に睨まれたので手を離した。それ、やめてよ、と、何度いわれても直らない癖だった。

かれは単純に驚いていた。

たしかに、離婚届の罫線の色はみどりだ。しかし、お友だちの主婦と寄り合っては、やれランチだケーキだデコパージュ教室だとでかけていっていた妻が、そんな「同盟」をつくっていたとは思いもよらなかった。

「いちばん乗りだわ、あたし」

先陣を切る、みたいなふうをして、妻は高い鼻先をつんと上げる。皮肉っぽい微笑を口のはたに浮かべている。まさか、ほんとうにこんなことになるとはね、と、肩までの髪を優雅に揺する。しかし、かのじょは苛立っているようだった。今にも爪を噛みそうだ。

わっはっは、と、突如、花輪春彦は大笑した。「そりゃいいや」とも「ふざけるなよ」とも取れる笑いようだ。実際、そのふたつの意味合いがあった。しかし、もっとも大きかったのは「好きにしろ」だった。おまえの好きにするがいいさ。勝手にすればいい。そもそも好き勝手にしていたのだからな。

わっはっは、と、大笑したから、花輪春彦は咳き込んだ。猫背を丸め、胸をおさえる。ひゅーひゅーと穴から風が吹き込むような音を立てながら、細い息を吐いたり、吸ったりする。その背なかに妻の声が投げつけられる。

「マンションと、こちらの預金は、あたしにください」

腰をかがめたまま、首を掬って見てみると、妻はセンターテーブルの下から、マンションの権利書と通帳を取りだしていた。センターテーブルの下には、蓋つきの籐の箱が置いてある。そこから、大事なものがでてくるのだった。

唾液を顎に伝わせて一層激しく咳き込みながら、花輪春彦は惨めというものを体感していた。妻の不満はなんだったのだろうとも考える。

「今回のこと」を抜きにすれば、平穏な毎日だった。そこそこ円満な夫婦だったはずだ、と、瑣末な日常のひとこまを思い浮かべて、考えるのをよした。きっと、わからないと思う。妻の不満は、誰にもわからない。かのじょ自身にだって、どこがどう気に入らないのかわからないかもしれない。

花輪春彦は笑いたかった。今度は、本気で笑いたかったのだが、肺が、喉が、気管が、いうことをきかない。痰《たん》がからんで仕方ないから、咳き込みつづけなければならなかった。

「どうしたのよ、マスター」

にやにやしちゃって、と、カウンターの、左から二番目に座る女に声をかけられた。いいちこ一本槍の女だった。眠る女の隣にいて、眠る女の頭を撫でている。

いえいえ、と、花輪春彦は丸椅子に腰かけ直す。無精髭がぱらりとはえた顎を撫でさすり、笑っていたのかと、苦笑する。だとしたら、妻に離婚を切りだされ、喘息の発作を起こしたあのときだって、苦痛に顔を歪めながらも、笑っていたのかもしれない。


伊吹祥子《いぶきしょうこ》は夢をみていた。辿り着けない夢だった。行き先も目的もわからない。昼か夜かも不明だった。急がないと、と、それだけ思って歩いている。細い道を歩いていっては行き止まりに突きあたる。ここではなかったと引き返し、新たな道を探しては通り抜けられないということを繰り返している。

時折、はっとした気分になった。誰かに頭を撫でられて、半分がた、覚醒する。引き戻された、と、感じた。あちらの世界からこちらの世界に。しかし、あちらの世界で、どのくらいのあいださまよっていたのかは憶えていない。戻りたかったかどうかも判然としない。それでも、助かった、と、いいたい気がした。ひたいに張りついた前髪を擦り上げる。

こじ開けるようにしてまぶたを持ち上げたら、視界が木目でいっぱいになった。焦げ茶色の地に黒っぽい線が皺《しわ》のように入っている。視線を上げて、酒瓶がずらりとならぶ棚を認めた。手前に四十半ばとおぼしき男が丸椅子に座っている。薄目を横にすべらせたら、知った顔がならんでいた。伊吹祥子の頭を撫でていたのは、隣に座っていた女だった。その女は伊吹祥子の頭を撫でながら、男たちと話をしている。

ああ、そうか。伊吹祥子は胸のうちで呟いた。カウンターに載せた両の前腕のなかに顔をうずめて、そうだった、と、息をつく。

目を閉じて、眠ったふりをした。

ススキノの、わりにわびしい一区画にあるスナックの、と、今いる場所をたしかめて、店の名前は忘れていたことに気づく。狭っ苦しい小路を歩いてやってきたのは憶えていた。小路は、ぬかるんでいた。足を取られそうになり、嬌声を立てたことも憶えている。三月二十三日、と、日付を思い浮かべたら、カレンダーの升目が胸に浮かんだ。年末に、ドラッグストアで化粧品を買ったとき、おまけでもらった卓上カレンダーだ。クラス会、と、ボールペンで予定が書き込まれている。ご丁寧なことには、花丸で囲まれていた。まるで、それしか愉しみがないみたいに、と思ったら、伊吹祥子の頰がゆるんだ。

「……笑ってるわよ」

隣の女の声が聞こえる。加持千夏だ。

「酔っぱらって眠るって気持ちいいんだよね」

男の声も聞こえてくる。ちょっと鼻にかかった声が、ことばの途中で近くなった。坪田隼雄はカウンターにやや身を乗りだして、こちらを窺っているのだろう。

「だよなー」

と威勢よく同調したのは池内暁。分厚い肩をひと揺すりした気配が伊吹祥子に伝わる。

「辛抱たまらん、ってくらいまで眠気を引っ張ってさ、落ちるようにして眠るのって、ある意味、酔っぱらいの醍醐味だよな」

子どものときは、夕飯をくってるうちから船を漕いだものだけどな。今や、あそこまで眠たくなれないよな。眠たくても我慢できちゃうんだよな。

「で、朝五時半とかに目が覚めちゃったりしない？」

もう、なんか、ぱっちり、って感じで、と、向こう隣の男に同意をもとめているふうである。

「ないこともないけど」

永田一太が苦笑混じりに答えた。

へえ、と、伊吹祥子も苦笑した。ないこともないんだ、とお腹のなかの下のほうで繰り返す。全員、四十歳。若さ自慢も老け自慢もしてみたい年ごろだと思い至れば、口元に微笑が広がる。

「笑ってる」

加持千夏がまたいった。

「ちなっちゃん、声、大きすぎ」

そっとしとこうよ、という坪田隼雄の声と、グラスのなかで氷のかたむく音が重なる。うまいなあ、坪田。相変わらず、と、伊吹祥子は心中で嘆息した。坪田隼雄は、小学生の時分から、ひとと距離をとるのが上手だった。こちらが立ち入ってもらいたくないところには決して踏み込んでこない。柔らかに包み込むという雰囲気を、小六にして醸しだしていた。でも、そんなことをされたら、かえって、なにもかも打ち明けたくなるのが、小六とはいえ女心というもの。ところが、ひとたび体重をかけたら、かれはかならず引くのだった。

「でたわね、坪田の膝カックン」

なーにが「そっとしとこうよ」よ。口ばっかりなんだから、と、ずけずけものをいう加持千夏だって、意気地がないのには変わりない。

知ってるのよ、といってやりたい衝動が伊吹祥子にあがった。口元がなおもゆるむ。あなた、二十近くも年下の高校生に入れ込んでたでしょう？　そうして、それを、今でも引きずっているんでしょう？　小学校の同級生だった田村を忘れられないようにね。そうよ。知ってるのよ、あたし。あなた、なんにもいわないけど、田村をずうっと思っていたでしょう？　毎回律儀にクラス会に参加するのも、こうして田村の到着を待っているのも、初恋のなごりよね。

カウンターに突っ伏した伊吹祥子の肩が小刻みにふるえた。忍び笑いが漏れでてくる。純情ですこと、と、寝言を装っていった。むにゃむにゃとしか聞こえないように注意して、ずいぶんとまあ、ロマンチックなことですこと、とつづける。成就《じょうじゅ》しない恋がよっぽど好きなのね。それじゃあ、いつまでたっても仕合わせになんてなれないわよ、と思いすすめたところで、池内暁の声。

かもしんないけどさあ、と、坪田の膝カックンをある程度認めた上で、

「でも、ここは坪田のいうとおりだよ、ちなっちゃん」

そっとしておこうよ、と伊吹祥子の居眠り保持に話を戻す。

「班長にもいろいろあるんだろうからさ」

……池内は池内で、と伊吹祥子は感想した。相変わらず、わかりやすい。三度のごは

んになにをたべるかくらいの悩みしかないんじゃないの？　唇を歪ませたあと、班長って、と、ひっそりと鼻を鳴らした。それ、小学校のときのあだ名じゃないの。学級委員も生徒会書記もやったことがあるのに、あたしのあだ名が班長なのは、とつづけて思った。衆人環視のもと、田村が中村理香に告白したさいのお膳立てをあたしがしたからなんだわ。期せずしてね、と胸のうちで舌打ちしたのち、いろいろって、と、池内暁の発言の吟味にかかる。なぜ、「班長」に「いろいろ」あることを、かれは知っているのだろう。

「いろいろ」といっても、その指し示すところは、たったひとつのはずである。そのたったひとつを、単細胞の池内にまで「いろいろ」などとぼかしていわれるのは、我慢できない。

伊吹祥子の両目が開いた。上半身を起こし、髪を払う。からだごと、加持千夏を見向く。

「しゃべったんでしょ」

強い声をだした。加持千夏が肩をすくめた。ごめん、と、頭を掻いている。

夫と別れたと伊吹祥子が話したのは加持千夏だけだった。それは昨年、冬の初めのことだった。初雪がふるかふらないかという時季で、伊吹祥子は暖かいコートが欲しかった。札幌駅に直結しているショッピングモールをぶらぶらしながら、品定めをしていた。コートを実際に買うのは年が明けてからにしようと思っていた。ひと月少々待てばバーゲンがあるのだから、正札で買うのは、ばかげている。

きれいな下着を売る店の前で、加持千夏とばったり会った。隠す気なんてちっともなさそうなほど小さなショーツや、ひもで胴を締めあげるコルセットや、各種サイズを取り揃えたブラジャーなどを眺めながら、立ち話をした。

離婚届を提出してからそんなに日が経っていなかった。伊吹祥子は、あたしもあなたと同じく独身よ、という気持ちをこめて、明るく話したつもりだった。資格があっていいわね、と、高校で養護教諭をやっている加持千夏を持ち上げた。むかし、折りにふれて、田村と中村理香の交際の進捗《しんちょく》状況を話したように、話していた。

田村と中村理香の交際は、伊吹祥子の理想にほとんどひとしかった。たったひとりのひとに出会えて、信じ合い、人生をともにしようと決心する道のりをライブで見ているようなものである。その当事者が、どうしてあたしではないのだろうという心持ちが、加持千夏に向かっていった。電話をかけては呼びだして、たがいの近況を報告し合ったその合間に、田村と中村理香の最新ニュースを挟み込んだ。平静を装う加持千夏の反応を見て、伊吹祥子は痛がゆく満足した。

でも、まあ、それでも、と、ちょっと間を置いて伊吹祥子はいったのだった。きれいな下着を売る店の前で、立ち話をつづけている。仕事は見つかったのよ。デパートのブライダルサロン。皮肉なものよね。離婚したての女が結婚式場を案内するなんて。

それもこれも、と、伊吹祥子は、経験のたまもの、というようなことをいった。いいながら、厭な女だと思っていた。一度も結婚したことがない女より、自分のほうが上だというふうなニュアンスがことばのはしばしからこぼれたのは自覚している。

加持千夏は曖昧な笑みを浮かべて、うなずいた。たまに輪郭のはっきりとした笑みが頰にのぼる。失笑じみていると伊吹祥子には思われた。班長らしい、といわれている気もしたから、さいわい、子どももいなかったし、とつけ加えた。もしも子どもがいたとしたら、と、三度流れた妊娠を思い返した長い夜などなかったように。

「いいから、寝てろよ」

カウンターの向こうはしから、永田一太が声をかける。視線をのばす伊吹祥子と目が合った。先に外したのは永田一太のほうだった。眠りたいんだろ? とグラスを手に持ち、J&Bを氷ごと揺する。

「田村がきたら起こしてやるから、それまで寝てなさい」

兄のような口調だった。少し口をひらいている伊吹祥子に再度目を寄越して、浅くうなずく。伊吹祥子も浅くうなずき、そして、笑った。喉をそらせて大笑する。丸椅子に腰かけているマスターの、ぎょっとしたような表情が、伊吹祥子の視界に入り込んだ。MC・永田。マスター・オブ・セレモニー。かれは、むかしから、うまいこと、その場をおさめる。あたし、なんだか、と、伊吹祥子は、笑いすぎてなみだが滲んだ目元をおさえて、いった。「寝ろよ」とか「寝なさい」とか、そんなふうに命令されたらなんだか。

「永田くんの女みたいじゃない？」

池内暁が指笛を鳴らした。

「……できあがってんなあ、班長」

ナイス、池内、と永田一太は心中で胸を撫で下ろした。

「ちなっちゃんばりの切り返しだ」

さらにナイスだ、坪田、と永田一太はJ＆Bをのみほす。

「なに、それ」

加持千夏が坪田隼雄にくってかかり、いやその、と、坪田隼雄がしどろもどろしてみせて、空気がなごむ。というか、元に戻った。

「……班長にだって、いろいろあるのよ」

と伊吹祥子が自ら「班長」と呼称し、「いろいろ」を認める。加持千夏に頭を撫でられ、くすん、と泣き真似をする。

「班長、今、けっこう色っぽかったよ」

坪田隼雄が口説き文句みたいなことを口にし、伊吹祥子の機嫌を直そうとした。そんなことないけど、と呟くかのじょに、池内暁が、いや、色っぽいとこもあるって、と微妙なことをいう。

「『とこもある』ってなによ」

案の定、伊吹祥子が異議を申し立てる。しかし、本気の異議ではなさそうだった。おれの出番だと永田一太はあわく思った。と同時に、班長は色っぽいよ、という科白《せりふ》が口をついてでる。

「できれば、おれの女にしたいくらいだ」

つづけざまに、わりに踏み込んだ感じの発言もするりとでた。

池内暁がまた指笛を鳴らし、永田くんて、ほんと、いいとこ持ってくわねえと加持千夏が感心し、まったく、と、坪田隼雄が大きくうなずく。

（ほんとに？）

そう思ってる？　と、問うてくる伊吹祥子の唇に気づく者は誰もいない。

（今でも？）

ほんとに。

今でも。

そう思ってる、という目をして、永田一太は伊吹祥子を見た。

だから、おとなしくしてなさい。

ふう、と、聞こえよがしのため息をついて、伊吹祥子がカウンターに突っ伏した。命令形に弱い女だと、上着の、肩のあたりの埃《ほこり》を払いながら、永田一太は思いだすようにして、思っている。ひとまずは一件落着。からのグラスを揺すって、マスターの花輪春彦におかわりを目で頼む。ネクタイをゆるめた。

伊吹祥子とは、わけがあった。

だから、まさか、クラス会に参加するとは思わなかった。出席にまるがついた伊吹祥子からの返信はがきを見て、え、と小さな声がでた。勘弁してくれよということばが脳裏をよぎった。めんどうなことにならなきゃいいがと、割合深く心配した。

ふこうのてがみ？　と、長男に訊かれ、似たようなものだと思った。やあね、ちがうわよ、と、台所から妻が声を放つ。お友だちからのおはがきよ、と、カレイの煮つけを皿に取り分けながら笑った。そうだよ、お友だちからのおはがきだよ、と、永田一太は妻のことばをそのままそっくり長男にいった。いっておいて、「お」が多すぎなんだよ、と、しらけた。

お勉強、おズボンなど、妻が子どもたちに使うことばには「お」という接頭語がよくつく。なぜそんなに「お」をつけたがるのかはわからないが、子ども相手なら、そのほうがいいような気がする。八歳の長男と五歳の長女、ふたりの子を持つ父である。永田一太も「お」つきで話すことがしばしばあった。そのたび、そこはかとなく、なにいってんだろ、おれ、と、思う。御社、お届け伝票、お送りいたします、と勤め先でも「お」を連発しているにもかかわらず。飲料を製造販売する会社の札幌支社で営業をやっていた。大手取引先の担当者と面談するさいには、そちらさまの部長さまのご意向は、と、いったりする。

そうよ、お友だちからのおはがきなのよ、と、妻が長男に念を押した。普段どおりの声だったし、夕食を調えるさいによく見せる笑顔を浮かべていたのだが、永田一太はぞっとした。冷たい手が襟首にかかった感じがする。

今の「お」は意味がちがう、と、思える。皮肉を込めた、慇懃《いんぎん》無礼《ぶれい》の「お」ではなかったか。妻は、なにもかも知っているのではないかと疑心がわいた。「ふこうのてがみ？」と長男にいわせたのも妻のような気がした。よく考えてみると、今どきの子どもがそんなことばを知っているわけがないのだ。かまをかけたのではなく、裏もとっているのかもしれない。そうして、しばらく泳がせておいて、ここぞというときに伝家の宝刀を抜くみたいなつもりでいるのではないのか。

そんなばかな、と、一瞬思い、おれはうまくやっていたと、またしても一瞬、思った。終わったことだと、意を強くする。伊吹祥子とは、と、寝室に向かう。上着をハンガーにかけ、あれは大人のつきあいだったと口のなかで独白する。ズボンを脱いで、両のセンタープレスを合わせてから、ふたつ折りにして、少し笑った。「大人のつきあい」とはまた、いかにも、粋を気取る野暮な中年男のいいぐさだった。

わざわざそう断ってみせるところが野暮である。逃げ腰の方便とも思われた。こんな方便を心中にのぼらせる男にはなりたくないと、かつてそう考えた時期があった気がする。しかし、そのときすでに、そうなったときにはそう思えばいいのだと思ったことを思いだした。

伊吹祥子との「大人のつきあい」は一年ばかりつづいた。一昨年から去年までだ。

病院で会ったのだった。脳外科だ。

永田一太は脳梗塞《のうこうそく》で倒れた父を見舞っていた。大事には至らなかったが、右半身に麻痺が残ると医師には説明されていた。

父は、母とふたりで暮らしていた。どちらもまだ七十前で、健康なはずだった。突然、連れ合いに倒れられ、母が気の弱いことをいいだした。いつお迎えがきてもおかしくない齢だとか、具体的には、膝の調子がおもわしくないとのことだった。いずれにしても、年寄りのいいそうなことばである。親が老人になってしまったと、永田一太は浅く笑った。月がのぼるし、日がしずむ、と、童謡「海」の一節が脳裏を横切った。

両親を引き取ろうと決めたのは妻だった。

かれらの住んでいた一戸建てを売却し、その金で、四年前に新築した我が家をバリアフリーにリフォームすればよいとかのじょはいった。さっぱりとした口調だった。いいのか、と、確認したら、いいもなにも、と、薄く笑った。毎晩、毎晩、どうしようとそれきり繰り返されたら、腹をくくるより仕方ないじゃないの。あなた、わたしの口からいわせたかったんでしょう?

そういって、妻は永田一太に顔を向けた。黒目が先に動いて、それにつられて顔が動いたという感じだった。シングルと、セミダブルのベッドを二台くっつけた寝室である。永田一太は舌先で歯の裏側を舐めた。磨いたばかりなのに、厚ぼったく触れる。

日曜、午前。一家揃って父の見舞にいくのはすでに恒例になっていた。病室からひとりでて、手洗いで用を足し、でてきたところで、永田一太はいくにんかの集団と廊下ですれちがった。女ばかりのひとかたまりだった。化粧のにおいを撒き散らかして堂々と歩いている。太い首に首飾りをぶら下げて、耳には大ぶりのイヤリングをつけていた。装飾をしていないのはひとりだけだと、永田一太は観察するでもなく見て取った。痩せているのもひとりだけ。

「永田くん？」

すれちがいざま、そのひとりが振り向いて、声をかけてきた。伊吹祥子だった。

「おお、久しぶり」

と答え、少しのあいだ、視線がまじわった。病院の廊下は薄暗い。ほんと、久しぶり、と、駆け寄ってくる伊吹祥子の目が、きらめいて見えた。

小学校で同級だっただけのつき合いである。顔を合わせるのはクラス会の席だけで、年賀状のやりとりもない。それでも、そのとき、よく知っている女に会ったという気が、永田一太にはした。実際以上に親しい間柄のような心持ちにも、ふと、嵌《はま》った。それでいて、初対面のような印象も持ったのだった。

集団から少し離れて、立ち話を少しした。間近で見たら、伊吹祥子の目は最前よりも強い光を放っていた。

「病室のドアを開けて」

伊吹祥子は低い声でいった。見舞ったばかりの友人の話だった。彫金教室の仲間のひとりらしい。

「ベッドに横たわるすがたを見て」

ひと目で、と、ゆっくりと唾をのみ込んだ。

「長くないとわかったの」

吐息のような声をだし、襟足をさする。

「かのじょ、あたしと同い齢なの」

ねえ、と、伊吹祥子は永田一太の腕を軽く摑んだ。ねえ、ねえ、と、揺すってくる。

「あたしたち、病気で死んでも、もう、わりに普通なのよ」

そりゃ平均寿命からしてみたら、ものすごく早いけど、不幸にはちがいないけど、でも、毎年、どんどん、「普通」になっていくのよ。

ねえ、ねえ、と腕を揺すられたなりになったまま、永田一太は伊吹祥子の目を見下ろした。奥のほうから、あふれてくるような光に濡れた瞳だった。

「……秋には開店二周年なんですよ」

マスターの花輪春彦が加持千夏にいっているのが耳に入った。あら、おめでとうと加持千夏が受け、そのときは知らせて、と、住所を教えたそうなふうをした、そのとき、

「秋が終わるころには」

と、伊吹祥子が顔を上げた。

「あたしは離婚一周年だわ」

ヱビス、頂戴。冷えたやつよ、と、マスターにいう。

ヱビスビールをのみながら、伊吹祥子は離婚の理由を考えた。考えたことはたびたびあった。離婚の理由はこちらの浮気と、それは考えるまでもないのだが、わだかまっている。それだけとはいいきれないと思う。

永田一太との関係が夫に知れたのは、携帯に保存してあった画像やメールを見られたからだった。盗み見しておいて、夫は怒った。妻の不貞の前では、盗み見も、趣味の模型飛行機づくりに毎月十万円からのお金をつぎ込むことも、ちっぽけな事柄になるらしい。夫は旅行会社に勤めている。企画ツアーの下調べでいった東南アジアで、病気をもらってきたことも瑣末な出来事になっているのだろう。

結婚二年目の「事件」だった。二十六だった。今から十四年前のことである。伊吹祥子は夫を責め立てた。病気は、かのじょにも伝染《うつ》っていた。それがもとで、子どもが持

てなかったと、心の底のほうで思っている。

伊吹祥子は、しっかりしていると周囲にいわれつづけて育った女だった。几帳面でまじめでと、堅さばかりを褒められた。たしかに、ハンカチは真四角にたたまなければ気が済まないところがある。そのハンカチは、立たせることができるほど糊をきかせたいと思うようなところがあった。携帯に、画像やメールを保存していたのは、用心を忘れたせいでは、たぶん、なかった。あたしが、もしも糊のきいた、真四角にたたまれたハンカチだったとしたら、と、伊吹祥子は思う。揉んで、ほぐして、広げてみせて、からげて、さらして、風合いをだしてくれたのは永田一太にちがいない。

夫の怒声を聞きながら、伊吹祥子は、ふん、という顔をしていた。

ふん、あんたはなんにもわかってないわ。

こんなこと、思いたくないのに、思ってしまう。思っているような顔つきだってしたくないのに、威丈高な態度に、つい、でてしまうたちである。謝ってもよかった。しかし、謝ってもいい、と、思うくらいの謝りたさなら、謝らないほうがまし。

夫もあたしも、と、伊吹祥子は、エビスビールをひと息にのんだ。きっと、別れたかったんだわ。でも、理由がないから別れられなかっただけなんだわ。

「いいのみっぷりだねえ、班長」

　と池内暁がいえば、

「完全復活」

　と坪田隼雄。

「ここにきて、渋皮が剝けたって感じじゃない？」

　加持千夏の言に、

「いろいろあったから」

　と伊吹祥子が答えた。視線をちろりと送られ、永田一太が腕時計に目を落とす。じき三時だ。

「……遅いですね」

　声をかけられ、

「え？」

　と、はずれた声がでた。

「田村さん」

　カウンターの向こうで花輪春彦が笑った。カモーンという首の振りようをする。渋皮が剝けただの、いろいろあっただのということばを聞いて、伊吹祥子とのあれこれを永田一太は思いだしていた。

伊吹祥子とは、いろいろ、試した。覚えたてのガキみたいに。好奇心旺盛に。妻に持ちかけたら、鼻であしらわれ、拒絶されるにちがいないこと、ほとんど全部だ。そもそも妻との交渉は途絶えていた。精神的にも、肉体的にも、かのじょは疲れているようだった。

ピンク色のおもちゃや、絹のスカーフを用いてたくさん汗をかいたあと、あたし、離婚するのよ、と、伊吹祥子にささやかれた。

永田一太は驚いた。まだ下着もつけていなかった。そういうことは、せめてパンツをはいてからいってもらいたいと、間の抜けたことをぼんやり思った。だんなにばれちゃったの、と伊吹祥子がぺろりと舌をだす。たたみかけるようにして首っ玉にかじりついてくる。汗の残ったぬるぬるとした肌合いが迫り、永田一太は恐怖を感じた。首に回された伊吹祥子の手をほどく。気がついたら、突き飛ばしていた。

下がり気味の乳房を揺すって、伊吹祥子は仰向けで笑った。ゆっくりと半身を起こすと、腹部に段ができる。なによ、と、髪に指を入れて、睨んできた。

「どうして、永田くんばっかり安泰なの？　おんなじことをしているのに、どうして、あたしだけが離婚するの？」

バリアフリー。ほぼ段差のない室内を、両親は喜んだ。終《つい》の住処《すみか》と何度もいった。一階の、手洗い近くの和室を、姫だるまや博多人形で飾り立てた。妻とも、子どもたちともうまくやっている。たまに揉めたが、深刻な対立にはならなかった。妻の気働きによるところが大きい。マスター・オブ・セレモニー。妻には頭が上がらないと永田一太は思っている。妻がいなくては、この家は回らないのだ。おれが死ぬまでずっと。たぶん。

「だから」

「だから?」

花輪春彦に訊き返されて、いや、と、永田一太は首を横に振った。

「田村は、くるのが遅すぎる」

なるほど、と、花輪春彦が足を組み直した。そうきますか、と、いっているようだ。

「早すぎるよりいいと思いますがね」

と顎に手をあてる。というか、あんまり手回しがいいのはなにかと剣呑《けんのん》かと。用意がいいのはどうもね、と左耳を触る。ただし、そういう女は、妻には向いているといえなくもない、と、声をひそめる。

用意するのは、と永田一太も声をひそめた。絹のスカーフくらいが丁度いいかも。

「なんの話だ？」

池内暁が割り込む。

「たとえば、山内一豊の妻の話です」

花輪春彦が答える。

「用意のいい女は怖いって話だ」

と永田一太。

池内暁は太い腕を組んだ。少しのあいだ、考え込んだようだった。顔を上げて、

「どっちにしたって、女は怖いと思うぞ」

といった。

「なんか、独特だよな、あの怖さ」

と、両脇の坪田隼雄と永田一太の肩に両肘をかける。だよな、だよな、と、満面の笑顔で同意をもとめる。

「池内くんは、気持ちがいいくらい能天気だね」

坪田隼雄が首をかたむけていった。

「すくすく育った子だよ、おまえは」

永田一太もひたいを押さえながらいった。上着の内ポケットのなかで携帯がふるえる。

取りだしたら、田村、と、横に細長い窓に名前がでている。「着信中　田村」の表示を見ながら、田村だ、と、声を張った。

「田村！」

池内暁が永田一太の携帯を覗き込み、

「田村だって」

と手をメガホンにして口にあて、皆に知らせる。聞こえてるって、と野次が飛んだ。うんうんうんと忙しくうなずき、池内暁はまったく気にしてないふうである。田村がくる時間を見計らってさ、と皆に提案する。

「おれたち、隠れちゃうっての、どう？」

マスターに皆さんお帰りになりましたよ、っていってもらって、田村が意気消沈したところで、ドッキリ大成功ってでていくんだよ。

「いーねー」

「タメが長かったからな、田村」

「ＣＭまたぎまくり」

にわかに活気づいたスナック「チャオ！」の店内が鎮まったのは、永田一太が携帯の通話を終えたときだった。銀色の、変哲もない携帯を上着の内ポケットにしまって、永田一太が口をひらく。

「田村は、こない」

「ふざけんなよ」

池内暁が即座に返した。ここまで引っ張っておいてと両手を広げる。永田一太が微笑した。

「いや、こられないんだ」

こない、んじゃなくて。

「……事故にあったそうだ」

軽トラに轢《ひ》かれた。二時間以上も前の話だ。まだ手術中だ。電話は中村理香からだった。あの問題児だった中村理香が、約束をたがえてすまないと、田村がいいそうなことをいった。田村は、今、手術台の上にいる。考えられるか？　医者や看護師が、メス、だの、鉗子《かんし》、だのいいながら、寄ってたかって田村のからだをひらいては縫い合わせている。手術がいつ終わるのかは、わからないらしい。奥さん、覚悟しておいてくださいと中村理香はいわれたそうだよ。つまりは、と、永田一太はカウンターをこぶしで叩いた。

「そういう状況だ」

十坪の店に無音が降りた。完璧な静寂だと永田一太は頭の片隅で思った。胸のうちでなら、こんな静けさは経験したことがあった。しかし、耳から聞くのは初めてだった。カタン、と、スツールの脚が床につく音が立つ。池内暁。

「……覚悟ってなんだよ」

薄く笑っている。

「それ、どのへんの覚悟だよ」

いい加減なこといってんじゃねえよ、医者、と腹から声をだす。

「田村がこないのは、だめだ」

坪田隼雄が子どものように駄々をこねる。

「あいつが死ぬのは、もっとだめだ」

全然だめだとカウンターの天板を押っつける。

「あたし、田村が好きだったのよ」

加持千夏が洟を啜り上げた。笑っていいのか泣いていいのかわからないような顔をしている。池内暁がすかさず抗議する。

「過去形はやめろ」

「ちがう意味での過去形よ」

「どんな意味でも過去形はやめろ」

「あたし、田村を待っていたんだけど？」

伊吹祥子が声を張り上げ、池内暁に「過去形はやめろって」と噛みつかれた。おかまいなしに伊吹祥子がつづける。

「今夜、田村に会えたら、それだけでいいと思ってたようなとこ、あったんだけど、あたし」

だって、田村は、と、ことばを区切った。田村と中村理香はあたしの、とまた区切る。息を吸い込んだら、ひゅうっと鳴った。なんていっていいのかわかんないんだけど、と声を絞る。表情が、がらりとくずれた。

「……辿り着けそうな気がするのよ」

「なんだよ、過去形の上にグダグダかよ」

という池内暁に坪田隼雄の声がかぶさる。

「わかるよ、班長」

「わかるのかよ」

「わかるさ」

「わかるわ」

加持千夏につづけて、永田一太が唇を舐めてから口をひらいた。田村は。

「田村なんだ」

「なんだそれ」

おまえ、ちゃんとまとめろよ、いつものようにさ、と、池内暁が永田一太の肩を揺する。

「いや、わかるよ」

といった坪田隼雄に向き直り、なんだよ、おまえはさっきからと、くってかかった。

「田村は、田村なんだよ」

坪田隼雄がぽつりといった。

「そういうやつが、ほかにいるかよ。田村のことを思うとき、おれたちの心は混じりけのないものになる。ちがうか？　おれたちが、田村と口にするたびに、なけなしの混じりけのなさのありったけが、滲みでてくる、そうだろ？　ちがうか？　わからないか？　池内」

呼びかけられて、池内暁が唇をとがらせた。池内、と、加持千夏にも呼びかけられる。

「ただ、会いたいのよ、田村に」

「田村に会えたら、それでいいのよ」

あたしたちは、と、伊吹祥子がつづけた。

「田村を待っているの」

いつも。どんなときでも。どこかで、と、胸に手をあてる。

「……田村、なに者だよ」

唸り込む池内暁に花輪春彦が声をかける。

「わたしも田村さんを待っているひとりですがね」

ぜひ、かれの口から直接聞きたい、と、カウンターの下から、黒い、ばね式帳面を取りだした。

「どうせ死ぬから、今、生きてるんじゃないのか」

と、読み上げる。

「どうせ小便するからって、おまえ、水、のまないか？　どうせうんこになるからって、おまえ、もの、くわないか？　喉、渇かないか？　腹、すかないか？　水やくいものは、小便やうんこになるだけか？」

音読したのち、帳面をひらいて池内暁に見せた。

「……白紙じゃないか」

「そう、白紙だ」

なにも書いていない。今夜、店をしめたあとに書くつもりだったと花輪春彦が微笑する。

「どうせ死ぬんだ」

呟いて、

「だから、今、生きているんだ」

と田村を真似た。面識などまったくないのに。

「わたしは、これを、田村さんからじかに聞きたい」

かれがきたら、ビールを奢ろうと決めていた。祝杯の合図は、と、池内暁を指差した。

「あなたが適任だろうと」

「おれ？」

こいつじゃなく？　と、池内暁が永田一太を見る。

「無茶振りだな」

と頭をかかえたかれにカウンターのはしから伊吹祥子が声を張る。

「永田くんじゃなくて、あんたなのよ」

「おれじゃなくて、おまえなんだよ、池内」

もう一方のカウンターのはしにいる永田一太も声を張った。

「田村に会わせてよ、池内」

という加持千夏に、

「無茶振りはよせって」

と池内暁が答えている。

「おまえが会えるっていえば、田村に会えそうな気がするんだよ」

坪田隼雄の発言を受けて、加持千夏がいった。

「あんたが大丈夫っていえば、大丈夫って感じがするのよ」

「永田くんのいうことには、実《じつ》がないのよ」

と、これは伊吹祥子。なにが、愉しかったね、よ。きれいごとにしてんじゃない、っつうのよ、とヱビスビールを瓶からのんだ。

「……愉しくなかったのか」

よくなかったみたいなこと、いうなよ。永田一太がJ＆Bのオンザロックを揺すって独白する。やばいな、止まらないなと思うことは思っている。でも、おれは、と口走っていた。

「けっこう、よかったけどな」

勝手かもしれないけどな、生きてるって感じ、したよ。泣きそうになったこともあった。

「どろどろしてんじゃねえよ」

男と女の会話かよ、と、池内暁が両手でカウンターを叩く。

「……ありがと」

「だから、そこで礼をいうなって、班長」

「だと思った」

「うん」

うなずき合う加持千夏と坪田隼雄に、

「知ってたのかよ」

なんだよ、この展開、と頭を掻きむしった。

「いえよ、池内」

永田一太が、墨をたっぷりふくませたような声を放つ。

「なにを？」

「あれだよ」

おまえが今夜、なんとかのひとつ覚えみたいにしていってたあれだよ、と池内暁の胸ぐらを摑む勢いでいう。気圧《けお》されたように池内暁が口をひらく。

「……田村はまだか？」

いきのわるい声だった。おまけに半疑問形だ。

もう一回！　永田一太に檄を飛ばされ、池内暁が首をすくめる。

「田村はまだか」

やや太い声がでた。

もうひと声！　花輪春彦にあおられ、息を深く吸う。

「田村は、死なない」

力強くいった。死ぬわけがない。

最終話　話は明日にしてくれないか

池内暁は再度、いった。

「死ぬわけがない」

永田一太が池内暁の肩を叩く。サンキュー、池内、と早口でいって、マスターの花輪春彦に目をやった。煙草の箱ほどの紙片を受け取り、顎に手をあてる。ひと呼吸置いて、口をひらいた。

「ひとり五千円」

のみしろの徴収にかかった。

「女の子は二千四百円でいいから」

とつづける。

「女の子？」

加持千夏が口元で笑ってみせた。二千四百円とは刻むわね、と、バッグから財布を取りだした。ほんと、と、伊吹祥子も腰を下ろしていたスツールに引っかけていたバッグのベルトをたぐる。

「永田くんは、どんなときでもしっかりしてる」

「いうなよ」

永田一太が、不明瞭な笑みを片頰に浮かべた。これでも気をつかっているんだ、とつけ足した。性分なんだよと口のなかでいって、短い息をつく。それから、両替してくれだの、こまかいのある？　だの、代金を割り勘で支払うさいにはつきものの科白が、カウンターの上をひととおり飛び交った。午前三時ちょっとすぎだ。スナック「チャオ！」の店内になごやかなムードが入り込む。そのとき、五人の酔客たちは、笑ってさえしていた。しかし、

「ありがとうございます」

代金を受け取った花輪春彦が頭を下げたとたんに、ムードも、皆の顔つきも、締まった。

「……じゃ」

坪田隼雄が上着の襟をしごいてからは早かった。

「いきますか」

いい終わらぬうちに全員が立ち上がる。切った風が見えるような機敏な動作でドアに向かった。もたついたのは池内暁だけだった。かれは勢いよく立ち上がりすぎて、スツールを倒してしまい、そこに足を引っかけて転んだのだ。しかもわりと派手に。

「なにやってんのよ、池内」

加持千夏が振り向きざまに声をかけ、そのときだけ、皆の頬がゆるんだ。

日付は変わっていたが、五人の心持ちのなかでは、三月二十三日のままだった。「今日」は、まだ「昨日」になっていなかった。店をでて、少しいったところで、タクシーを二台止める。三・二に分かれて乗り込んだ。男三人が乗った車のあとを、女ふたりを乗せた車が追いかけるようにして、夜ふけの街を走る。

小学校のクラス会の三次会の席から、病院に向かっていた。遠方より参加する田村久志の到着を待っていたのだが、つい先ほど、かれの妻から連絡が入り、交通事故に遭ったと聞いた。最初に搬送された病院では手に負えなくて、べつの病院に担ぎ込まれたとのこと。瀕死《ひんし》だという話で、五人にとっては、こうしてはおられぬという事態だった。

田村久志は、かれらの小学校五、六年時の同級生である。かれの妻の（旧姓）中村理香も同級だった、と、ことの次第を要領よくまとめたら、こうなる。

伊吹祥子が呟いた。

「……テールランプだわね」

前をいく、もう一台のタクシーに視線をのべる。首をかたむけ、こめかみを窓ガラスにあてていた。

「いやに滲んで見えるじゃないの」

「冬と春のあいだだからよ」

一拍遅れて、加持千夏が答えた。

「いちばん、空気がもたつく時季だもの」

だって、ほら、と、くぐるようにして窓から月を見上げた。

「輪郭に締まりがない」

月には、暈《かさ》がかかっていた。光の輪が、半月のかたちを夜空にぼかし込んでいる。それでも、月光は降りていた。雪融け水を跳ね上げる車輪の音がふいに大きくなる。ラジオの音も聞こえた。ふたりが乗車する前から、運転手がかけていた。ＡＭか、ＦＭかは定かではないが、低音が魅力とおぼしき男性アナウンサーである。ベルベットタッチの声で、曲紹介を始めた。それでは、お聴きください。エルビス・プレスリーで、「好きにならずにいられない」。

「……ついてくるわね」

伊吹祥子が座る位置をちょっとずらして、加持千夏に近づいた。加持千夏側の窓から、月を見上げる。目的地に向かって走るタクシーを、月は、追いかけているようだった。

「ほんと」

加持千夏が、助手席の背もたれに突きだしたコの字形の握り手を両手で掴んだまま答えた。

「どこまでも、ついてくる」

プレスリーの甘い歌声は、前を走る、もう一台のタクシーのなかでも静かに幅を利かせていた。

「……グーグルの翻訳機能を使ってさ」

坪田隼雄が口をひらく。後部座席の真んなかで、閉じた膝を高く上げて座っていた。男三人、ぴったり寄り添うというかたちになっている。身動きしなくても、肘が触れる。

「洋楽の歌詞を訳させると面白いんだよ」

びっくりするほどの直訳で、と、鼻にかかった声で薄くひとり笑いした。しかし、右に座る永田一太からも、左の池内暁からも反応がない。ふたりは、それぞれの側の窓から外を見ていた。嘆息する坪田隼雄の視線は前方にあてられていた。フロントガラス越しに、日中、荒天が通り抜けたあとの道路を見ている。首を横に振った。しょうことなしというふうに、つづける。グーグルの翻訳機能を使った洋楽の歌詞の直訳の話だ。

「ビートルズの『ビコーズ』なんて、『ので』だぞ」

「……『ので』かよ」

池内暁がいい、

「『ので』はないな」

と永田一太がいった。

「でも、『ので』だ」

グーグルはそういってる、と坪田隼雄は呟いた。山型にした膝をかかえ、そこに顎を載せる。また間があいた。

「……落ちはないのか、坪田」

池内暁がいった。いいっぱなしか、と、窮屈な車内で無理矢理足を組もうとする。

「それ、今、ここでする話じゃねえだろ」

「なら、どんな話をすればいいんだよ」

かすかな笑声を立てて、坪田隼雄が池内暁にいい返した。前方を見たままだ。それはおまえ、と、池内暁も窓から飛び退《すさ》る夜のまちを見ながらいう。そんなことは、おまえ。

「わからないけど？」

曇ったガラスになにか書きかけて、やめた。こぶしで擦って、ひたいをくっつけるようにして外を見る。薬局を通りすぎた。

「池内」

永田一太に声をかけられ、

「なんだよ」

池内暁が面倒くさそうに返事をする。

「おまえ、今、なに、考えてる？」

……しいていえば、と断って、池内暁が答えた。

「いろんなことだ」

あんまり、いろんなことがここのなかに（と、頭に手をやり）次から次へと、あっちこっちから湧いてきて、散らばって、おれを圧してくる。気に入らねえな、と、腰かけ直した。

もっとも、その子は夜のあいだ、窓の外にいっぱいの星をみてた、こと

「しいていえば」

と、またいった。

「こいつら、みんな眠ってるってことか」

繁華街を抜け、タクシーは住宅街にさしかかっていた。あいだを縫って、コンビニや、クリーニング屋や、ガソリンスタンドなどが、不定期なような定期的なような間隔で現れては、後方に流れていく。煌々《こうこう》と明かりをつけて開店している店があり、常夜灯をともす一戸建てがあり、照明が四角く漏れるマンションの一室はあったが、まちは、おおむね、しんとしていた。ひとも、きっと、しんとしている。

「眠ってるんだなあ、と、思ってさあ」

池内暁は背もたれにからだをあずけた。

「理不尽っていうか、つれないっていうか」

なんていうか、と洟を啜って、いいか？　と、ひらき直る。

「気を抜いたら、泣くぞ、おれは」

「逆ギレか」

坪田隼雄の小声を無視して、

「でも、おれは泣かないんだ」

と池内暁がうなずいた。

「うちの息子と同じことをいう」

耳の後ろに手をやった永田一太も無視して、

「泣いたら、ほんとになるからな」

といった。少し笑っている。咳払いして、今、ちょっとやばかったと呟く。

「やばいよ、おまえ」

永田一太がいい、

「ほんと、とか、いうなよ」

と坪田隼雄が胸に手をあてる。ほら、おっかなくなったじゃないか、と鼓動をたしかめているふうだ。

「……おっかないんだよな」

永田一太がいった。息を吸いながらだったので、聞き取りにくいはずだった。しかし、訊き返す者はいなかった。池内暁の、つばをのみ込む音がせりだすように車内にひびく。

ラジオでは、「好きにならずにいられない」が終わっていた。リスナーからの便りを男性アナウンサーが魅力の低音で読み上げて、ふたことみこと感想をのべた。次にかかった曲はアース・ウインド&ファイアーの「セプテンバー」だった。ドゥユリメンバ、と、曲に合わせて池内暁が小さく口ずさみ、「九月の第二十一夜を憶えているか」と、坪田隼雄が直訳する。

「……グーグルか？」

池内暁が訊いた。

「グーグルだ」

坪田隼雄が答えたら、タクシーが停まった。


待合室に案内された。手術が終わるまで、患者の身内や関係者が待機する部屋らしい。六畳ほどの広さである。ビニール張りのソファが二脚、センターテーブルを挟んで置いてあった。齢のいった男女がひと組と、薄いからだつきの女が分かれて座っている。女は、水色のタートルに白いジーンズを合わせていた。タートルの襟には、まだ折りじわがついている。ジーンズともども、おろしたてのようだ。家族旅行にでかけるミセスの軽装というファッションである。待合室に現れた五人の顔を見て、あ、と、口をおさえた。

「すみません」

中村理香は、ソファから立ち上がり、五人に向かってふかぶかと頭を下げた。耳にかぶさるくらいの長さの短髪に指を入れ、かすかに笑う。なんか、ごめんね。池内暁が頭の上で大きめに手を振った。

「中村」

と声をかけ、

「いや、田村さん？」

といい直し、

「中村でいいよな、中村」

といった。中村理香が忙しくうなずく。ごめん、と、また頭を下げる。

加持千夏がいい、うんうん、と、伊吹祥子がうなずいた。ごめん、わたしが、という中村理香を、ふたり同時に手で制した。

「のみものでも買ってくるね」

加持千夏と伊吹祥子が待合室をでて、廊下にある自販機から水やお茶を買ってくる。

男三人は、部屋のすみに立てかけてあったパイプ椅子をひらいて、腰かけた。人数分のペットボトルをセンターテーブルに置いた女ふたりが中村理香とひとつソファに腰を下ろした。田村久志が事故に遭ったようすと容態を、中村理香が語り始める。

田村久志は、道路を横断するところだった。路肩に車が何台も駐まっており、そのあいだを抜けようとしたようだった。わりに狭い道路で、そこをわたって仲通に入り、左の角を曲がれば、スナック「チャオ！」のある小路にでる。区画の両はしに横断歩道はあるにはあったが、いずれも少し遠かった。

　田村久志が車道にでたとき、駐まっていた軽トラがバックした。軽トラの尻と、セダンの鼻先とに挟まれた田村久志はむろん声を張り上げた。軽トラの運転手がそこで一旦エンジンを止めて、シフトをチェンジし、発進し直せば酷いことにはならなかったのだが、運転手はなおもバックをつづけたようだ。田村久志の叫び声が聞こえていたかどうかは定かではない。聞こえていたとしたら錯乱状態に陥っていたのだろうし、聞こえなかったとしたら、思い通りに後退できない苛立ちが募っていたのだろう。

　押しつけられ、揺すり立てられ、田村久志のからだは少し浮いていたという。たまたま通りかかった会社員が警察に証言した。軽トラの窓を叩き、なにやってんだと吠えたのも、救急車を呼んだのも、かれだった。

　救急車が到着したころには、田村久志の意識は不明だったそうである。骨盤が割れ、股関節は脱臼骨折。左大腿部は開放骨折で、肉が剝がれ、皮膚を突き破って骨が露出していた。すねにも二カ所の骨折がある。右足は膝下で断裂。救急隊員が拾って、田村久志とともに担架に乗せた。

　圧迫されていたのだから、内臓も無傷ではなかった。出血を止めるのが先決で、先決といえば、もげた右足は一刻も早くくっつけなければならなかった。しかし、断裂面がつぶれていたので、うまくつかないかもしれないらしい。

　中村理香が口をつぐんだ。かわりに、齢のいった男女ふたり組の女のほうが口をひらく。

「さっき、あたしがおしっこにいったとき」

　田村久志の母である。ひと目で堅気ではないとわかる恰好をして町内をうろつき回っていた女だった。男癖も手癖もわるかったが、現在は落ち着いているようだ。隣家に住んでいた自称元学生運動家と所帯を持って、九年になる。かのじょにとって、初めての婚姻だった。田村久志の父がどこの誰なのかは、かのじょしか知らない。

「若い衆が血相を変えて、どどどって、廊下を走っていったのを見たんだ」

　しじつひちゅに向かっていったんだ、久志が入っているとこさ、と、ようやくいった。

テレビドラマで見たことがある、と主張する。若い衆が大慌てでしじつひちゅに駆け込むのは、患者が死にそうなときなんだ。

六十代半ばにしては、明るすぎる、ほとんど金髪の頭を揺すって、田村久志の母がいい立てる。しけた居酒屋で洗い場を受け持っている女にしては、派手なワンピースで太ったからだをつつんでいた。白地に、ダリアの柄だった。赤いダリアはこれ以上ひらかないほどの満開で、大輪だった。シャツ式のワンピースだ。上下のボタンを三つずつ外している。足首でたるんだ黒いストッキングに、かかとのすり減った銀色の突っかけ。めずらしく、すっぴんだった。化粧焼けした茶色い顔を突きだして、どうしてあの子が、と、母親らしいことをしわの寄った唇にのぼらせる。

「こんな目に遭わなきゃならないのさ」

あたしならともかく、と、つづける。いい子なんだよう、と、かたわらに控えている夫にむしゃぶりついた。そうだね、と、同意するかれに、会ったこともない癖に！　と声を荒らげた。あの子がどんなにいい子かなんて、あんた全然知らない癖に、とわめきだし、夫を途方に暮れさせた。意外なことには、夫は、途方に暮れ慣れているようだった。深く息をついてから、

「そうだね、ぼくはなにも知らないね」

と、妻の背なかをやさしく撫でる。かれは友人のリサイクルショップを手伝っているらしい。格子柄のシャツに灰色の上着を着ていた。名刺の肩書きはミニコミ誌発行人だ

が、発行したことはないようだ。ぼくは、なにも知らないねと繰り返し、そんなことないよう、と、妻にいわせた。

「……で」

永田一太が中村理香に視線を移した。医者からは、その、と、いいよどむ。

「その、容態の、なんだ、急変、と、いうようなことは」

聞かされてないんだろ？　と尻すぼまりに訊ねた。

「うん、まだ」

中村理香が答えた。

「まだ、は、よせ」

池内暁が即座に横から入ってくる。

中村理香は肩で息をひとつ、ついた。

「ごめん」

とうつむく。

「謝るな、って」

とまた池内暁に即座に返されて、柔らかにかぶりを振った。襟足をさすっている。唇が、もどかしそうに動いていた。眉根を寄せて、たまに目を長く閉じる。首を、何度もかたむけた。頭のなかで虻《あぶ》かなにかが飛んでいるようだった。耳障りな細い音を立て飛び回る微小なものを追い払うような、正体をたしかめようとするような首の振りようをしている。ブウゥン、ブウゥン、と、近づいたり、遠ざかったりする音が聞こえてきそうだ。

「……あのひとがいなくなったら」

膝の上に手を置いて、中村理香がいった。あのひと、というのはかのじょの夫のことだろう。今、手術台の上にいる、田村久志。

「わたし、もう、絶望することもできないの」

唇を半分ひらいて、浅そうな口呼吸をする。

「憶えてる?」

と、小学校の同級生だった五人をゆっくりと見ていった。中村理香の視線はひとりずつの顔にあてられたが、かのじょの瞳に、かれらの像は結ばれていないようだった。

ふっ、と、中村理香は微笑した。

雲間から差し込む光のような笑みを目尻にこぼして、空中に両腕を伸ばす。その両腕を斜めに振り下ろし、透明な膜を剥いでみせるふりをした。

「ばりばりばり」

擬音もつけた。絞り上げた声だった。こんなふうに、と吐きだすようにいう。

「紙を破くように破ったら、わたしたちの見ているもの全部、きっと、失くなってしまうのに」

憶えてる？　と、腕を下ろした。下ろして、また、上げようとして、こぶしを握る。

「あのとき、わたしがいったこと、憶えてる？」

「……憶えてるわよ」

伊吹祥子がまず答えた。

「あたし、班長だったから」

「修学旅行前だったな」

と池内暁。坪田隼雄がつづける。

「班ごとに事前学習していた」

「おまえはあのころ、たいした問題児で」

と、これは永田一太。

「誰のいうことも聞かなかったわね」

いつでも、こうして、と、加持千夏が、はすの半身で腕を組む。「あのころ」、問題児だった中村理香がよくやっていたポーズだった。

「忘れないわよ」

あたしたちの班はカルデラ湖のなりたちを調べて、まとめていたんだわ、と、伊吹祥子が腰に手をあてた。

「表の作成にさんかしてください」

だよな、班長、と、池内暁が、小六だった伊吹祥子を真似る。

「きょうりょくしてください、ってね」

坪田隼雄も背筋を伸ばして「班長」の真似をする。なにがおかしいんですか、と、加持千夏がつづき、どうして笑っているんですか、と永田一太がつづけた。

「だって、つまんないじゃない？」

中村理香が、本人の真似をする。

「なにがですか」

伊吹祥子も本人の役で中村理香に詰め寄った。

「なにがつまらないんですか」

「なにもかも」

中村理香は、目を見張った。目の大きな少女だった。大人になってみれば、平均より少しは大きいというところに落ち着いたようだったが、それでも、やはり、大きかった。

射すくめるような強さを持つまなざしも健在だった。その目で中村理香がいった。

「なにもないのよ」

そうよ、ほんとうはなにもないの。触れないのよ。触ったと思ったこともあったけど、それ、勘違いだったのよ。触ってる、と思っていただけだったの。握ったこぶしをひらいたり、閉じたりする。

「……子どもだったわたしは」

中村理香は顎を上げ、短い前髪を搔き上げた。

「子どもだったからこそ」

うっすらと笑った。

「正解を知ってたのよ」

なんにもないっていう正解をね、と吐息のような笑声を漏らす。肩をふるわせ笑いだした。池内暁が踏みつけるようにして、床を鳴らす。

「なにがおかしいんですかっ」

腹の底から声をだした。

「どうして笑っているんですかっ」

坪田隼雄のこんな大声を耳にするのは、小学校同級生といえども初めてだった。

「だって」

と、なにかいいかけた中村理香を、

「だから！」

永田一太が遮った。

「おれたちはここにきたんじゃないか」

何時間も田村を待っていたんじゃないか、と低く太い声をだす。中村理香をじっと見る。両手でこぶしをつくっている。握り直すたびに小さく上下する、その肩に池内暁が手を置いた。

「永田」

見返った永田一太にゆっくりと首を横に振ってみせる。

「過去形はよせ」

おれたちは、田村を待っているんだ。


田村久志は手術を終えて、集中治療室に移された。血圧が一時五十くらいにまで下がったと医師がいった。どうりで田村久志のからだのあちこちに管がつながれていたわけだった。口には、吸入器のようなものをあてがわれている。

清潔一点張りのベッドの上に仰向けに寝かされていた。田村久志は目を閉じていた。恐ろしいほど、肌合いが白かった。表情もなかった。眠っているという感じではなかった。ない、という表情があるとしたら、それだ。たまに指が動くから、生きているとわかった。透明な吸入器のようなものが田村久志の息で曇るから、死んでいないとわかった。妻も、母も、友人も、呼びかけてみたのだが、応答はなかった。五月人形みたいなりりしい眉も動かない。

からだは小さく痩せていたが、田村久志は駆けっこが速かった。ドッジボールをやらせたら、攻守にわたり活躍した。首を前に倒すと、深いぼんのくぼが現れた。中学校入学を機に、かれは宇都宮の親戚にあずけられた。卒業してからは豆腐屋に住み込んで修業した。親方が亡くなって、店を継いだ。販路を広げ、現在、パートを三人も雇っている。先代の弟の子の面倒もみている。一から仕込んで、留守をまかせられるまでに育てた。中村理香とのあいだにもうけた男児ふたりの春休みを利用して、三日の休暇をやっと得た。飛行機に乗って帰省した、その日の夜に事故に遭ったのだ。

五人が、田村久志に再会したのは、小学校卒業以来だった。大人になった田村久志は、齢相応に老けていた。顎も、首も、太くなった。軽度の肥満だが、わるくない太り方だ。うっすらとついた贅肉が、肩口を厚くしている。五、六センチで刈り揃えた髪の毛の、両のこめかみに白髪がかたまってはえ始めていた。頬に赤みを差し入れれば、いかにも旨い豆腐をつくりそうな風貌である。

五人は病院をあとにした。外にでたら、晴天だった。三月二十四日。土曜の昼すぎ。病院内の食堂で、昼食はすませている。ラーメンとか、チャーハンとか、そんなものをたべた。眠たいとか、眠たくないとか、そんなことを話した。


「ていうかさ」

J&Bの入ったグラスを揺すりながら、池内暁がいった。

「ていうかね」

マスターの花輪春彦が軽快に受ける。スナック「チャオ！」の店内である。池内暁がオンザロックをひと啜りして、グラスをカウンターに置いた。

「一時はどうなるかと思ったね」

と腕を組む。おれはひそかに、と肩を揺すった。

「最終的な覚悟をしたよ」

といったが、かれが「覚悟をした」のは、わずかひと月前のことである。

「もう、大丈夫だ」

いい切った池内暁の眉がやや曇った。花輪春彦の眉も曇る。

「……足は、まあ、あれだけどな」

池内暁が呟き、……ええ、まあ、と、花輪春彦もうつむいた。

田村久志の断裂した右足は、うまくつかなかった。長い時間をかけて神経や血管をつなぎ合わせ、成功したように見えたのだが、細菌が入り込んだ。壊疽《えそ》が始まり、切断ということになった。やむをえなかったと医師がいった、と、この話を、花輪春彦は、永田一太から聞いていた。

「高熱が、なかなか下がらなかったそうですね」

田村久志の、左大腿部の開放骨折箇所も感染した。露出した骨膜などの軟部組織にも砂利や車の塗装が入り込んでいたのだった。すべては取りきれなかったらしい。四十度以上の熱がつづいて、とこれは伊吹祥子がいっていた。

「上のお子さんは、こっちの小学校に転校させたんでしょう？」

花輪春彦が池内暁にいう。田村久志の長男は小学校四年生。幼稚園年長の次男ともども妻の実家で暮らしている。

「くわしいね、マスター」

あいつら、しょっちゅう、ここにきてるんだ、と笑った。あいつら、というのは、クラス会の三次会の席から救急病院に一緒に向かった者たちである。

「しょっちゅう、ってこともないですけどね」

週に一度は、どなたかがいらっしゃる。不思議と金曜で、と、ぱらりとはえた無精髭を撫でさする。

「なぜか、おひとりずつで」

皆さん、連絡は取り合っていらっしゃらないようだ。なぜかね。

「なぜか」

と、池内暁も首をひねった。

「見舞にいっても、すれちがいなんだ」

ワイシャツ越しに二の腕の上のほうをごりごりと掻く。

「客が増えて、うれしい」

花輪春彦が指定席の丸椅子に腰を下ろして、左耳を触った。

「田村さんが快方に向かっているようすを毎週金曜に聞けるのも、うれしい」

先週、坪田さんがいってましたよ、とカウンターの下から、黒い、ばね式帳面を取りだす。組んだ足の上に帳面をひらき、花輪春彦が話し始める。

事故に遭ったあくる日、田村久志は目を開けた。まばたきもしたが、なにも見えていなさそうだった。

大量の失血により、顔はまだ白い。点滴用のチューブをつながれている。内臓の出血は止まったが、尿道にはカテーテルが入っている。大便は垂れ流しだ。両脇、鼠径部《そけいぶ》に氷枕を挟まれている。

やれCTだのレントゲンだのエコーだのと、検査がひきもきらずにつづいた。脊椎に損傷がないのは、めでたいことだった。脳も無事だったが、頭皮には血のかすがこびりついていた。

軽トラの運転手が見舞にやってきたのは、翌週の月曜か火曜だったようだ。田村久志の母に、いきなりなじられたらしい。病室に入るやいなや、デイジーとかすみ草とを組み合わせた可憐な花束を取り上げられ、床に投げつけられた。わりと高級な最中が入った菓子折も打ち捨てられた。棒のように突っ立ち、うなだれるかれに、田村久志の母が罵声をあびせる。

「たべられると思うのかい？」

この子が、それをたべられると思うのかい？　と、白粉を厚くはたいた顔で迫られて、軽トラの運転手はすんません、と頭を下げた。親にげんこをくらいそうになった子どものように、ちぢこまった両手をかざして、か細い声で謝ったという。

　全身黒ずくめのいでたちだった。中古なのか、流行なのかは知らないが、あちこちすり切れた革ジャンを羽織っている。細いズボンはビニールじみた革だった。厚めのラバーソールに足を入れ、腰にも、腕にも、鋲《びょう》を打ったベルトを巻きつけている。耳たぶに、みっつよっつ輪っかを通していた。鼻翼にも穴を開け、鉄色の輪っかを通している。二十一歳の、パンクスなのだそうである。仲間と寄り合い、夢を追いかけているそうである。

　がりがりに痩せたからだで、ビルの窓ふきや道路工事、ピザの出前などのバイトをやって、その金を、「夢」につぎ込んでいたらしい。ススキノにある、大人のおもちゃ屋に商品を納入するのもバイトのひとつだった。仲間のひとりが店番のバイトをしていた。張り形のペニスやオナホールを納品し終えて、少し雑談したという。新曲の話で、あれは絶対に受ける、と確認し合ったようだった。

　そのとき、かれの頭のなかでは、歓声が鳴っていたにちがいない。総立ちの観客が興奮しきってジャンプする絵がまぶたの裏に浮かび、息がちょっと苦しくなっていたはずだ。かれのまぶたの裏に浮かんだ映像は、観客の熱気により揺すぶられて、ぶれて見えさえしていただろう。ライブ会場の床が抜けそうだ、抜けたら伝説になると、こんな考えが、かれの脳裏を横切ったとしても不思議ではない。

なぜなら、新曲は、かれにしてみれば、会心の作だったらしいからだ。おれがいちばん驚いてるよ、と大人のおもちゃ屋で店番をしている仲間に、打ち明けたばかりだったそうだからだ。あんなにすげえ曲が、このおれに書けるなんて信じられない。

そのサビを口ずさみながら、かれは軽トラに乗り込んだようだった。バイト先の代表が所有する軽トラのエンジンをかけた。要は、上《うわ》の空だったのだ。


「だいたい、こういうことのようです」

花輪春彦が話を区切った。池内暁が訊いた。

「坪田がいってたのか?」

浅くうなずき、花輪春彦が答えた。

「中村理香さんから聞いたことを、わたしに」

「また聞きにしちゃ、加害者の心理描写がこまやかだな」

池内暁は少し笑った。

「坪田の解釈が相当入ってるぞ、それ」

「わたしの解釈も」

花輪春彦の言を受けて、池内暁が肩を揺すった。おれの解釈もつけ加えるとしたら、と、いった。

「そいつは『夢』をあきらめる」

仲間や女に甘ったるく慰められて、自分の「夢」をあきらめることが、田村への最大の償いだとするな、きっと、とひと息にいった。今どきの若い者は、という顔をして、J&Bをあおる。

「……どっちなんですか」

花輪春彦がJ&Bのボトルを持って、キャップをひねりながら、訊いた。

「かれに夢をあきらめてもらいたいんですか、もらいたくないんですか」

からになった池内暁のグラスを引き寄せる。おれがいいたいのは、と、池内暁が呟いた。少し間をおき、わかってんだろ？　と目をあげる。大げさに首をかしげてみせる花輪春彦に向かって、いった。

「どっちにしたって、それは、償うってことにはならないだろうよ」

いや、あくまでもおれの解釈だし、実際、そいつがなにを考えているかなんてわからないけどな。

わかりますよ、と花輪春彦が深くうなずく。

「わたしたちの話は、償うということ、に、移っている」

「『夢』と、まぼろしの名曲しか持ち合わせのない若僧なら、汗をかくしかないだろう」

池内暁はスツールの座面を腰で回した。動きを止めて、保険はでるんだったよな、と、花輪春彦にたしかめる。揉めているようですが、なんとか、との答えがくる。

「坪田さんが相手方と交渉しているようです」

坪田隼雄は生保会社に勤めている。種類はちがうが、その道のプロには変わりない。

「正確にいうと、坪田さんと、坪田さんの懇意にしている弁護士さんとで」

「いや、保険がでるからそれでいいというわけではなくて」

そうじゃなくて、と池内暁が舌打ちした。わかりますよ、と花輪春彦がまたいった。オンザロックのおかわりを差しだす。

「話は、償う、から、誠意を見せろ、に、移りつつある」

「ぶっちゃけ、金だろって話になってきてるな」

「夢」を追いかける若者にとっちゃ、さぞや汚らしく聞こえることばだ。池内暁がすっきりと笑った。大人はよごれている、みたいな新たな名曲が生まれそうだ。

花輪春彦も笑っている。

「でも」

「だけど」

ふたり同時に口をひらいた。お先にどうぞ、と花輪春彦が手首を返して、てのひらを上にする。軽く頭を下げてから、池内暁がいった。

「働いて、毎月ちょっとずつでも田村に金を支払いつづけたら、そいつは、たぶん、もっとすごい曲を書けるはずだ」

「『全速力で走れよ、きみ』、ですね」

黒いばね式帳面を繰って、花輪春彦が読み上げる。先月、田村久志の到着を待っていた夜に、池内暁が語った事柄の断片である。

「……二瓶さんね」

池内暁の頰に、にが笑いがのぼった。二瓶正克はかれの会社の先輩だ。なにを考えているのか、さっぱりわからない男である。やる気もさほどなさそうで、しかし仕事はできるのだから、奇妙な男だった。働いてはいるものの、事実上、隠居生活を送っている。その二瓶正克が池内暁に一度きりぶつけてきた、おそらく本心が「全速力で走れよ、きみ」だった。田村さんだけでなく、と、花輪春彦がいった。

「その、二瓶さんてひとにも、一度、ぜひ、お会いしたい」

いいよ、と池内暁が気安く請け合う。

「今度、連れてくる」

「ところで、わたしの話にはつづきがあるんですけどね」

花輪春彦が遠慮がちにいった。黒いばね式帳面を乙女のように胸にかかえている。

「田村の話？」

「先週、わたしが坪田さんから聞いた、田村さんの話」


田村久志の母は、若いパンクスをなじりつづけたそうである。どのつらブラ下げて、あんた、ここにこられたんだい、おまわりはなにをやってるんだい、犯人を野放しかい、と、がにまたで、たっぷりした腰回りをかがめては花束や菓子箱を拾い上げ、床に投げつけたらしい。ひょろ長い体形のパンクスが、華奢な顎を引き、半泣きで、すんませんと、それだけ繰り返し、田村久志の母をますます苛立たせることとなったようだ。

「ほかにいうことはないのかい」

「あんた、それしかいえないのかい」

「親の顔が見たいもんだ」

ろくでもないことに血道をあげて、この半端もんが、とがなり立てられ、パンクスがついに反撃にでた。うるせえんだよ、ばばあ。

「ひとの気持ちを踏みにじって」

何度も床に叩きつけられ、花弁を散らした花束と、へしゃげた菓子折を指差す。

「すんげえ勇気を振り絞って、すんげえ迷って買ってきたんですけど？」

御見舞い、って短冊まで入れてもらったんだ、内のしだよ、内のし、と声を張り上げる。

「当たり前のことをしただけじゃないか」

といい返され、

「はぁ？」

と、摑みかかろうとしたが、田村久志の母も負けていなかったようだ。

「はぁ？　ってなんだよ」

やるならやってごらんよ、ほら、とたるんだ胸をパンクスに押しつけていったという。

「おかあさん」

中村理香が声をかけた。かのじょは田村久志の枕元にいた。

「けが人がいますから」

ひそやかに頭を下げた。からだにさわるといけませんし、とつけ加える。

「……したって」

したけど、と田村久志の母が真っ赤な口紅を引いた唇をふるわせた。そのとき、ベッドからかすかな声が聞こえてきた。え、と、中村理香が田村久志の口元に耳を寄せる。そのへんでやめてくれないか、というようなことを田村久志の乾いた唇がいっていた。静かにしてくれ、と、皮の剝けた唇が動く。わずかに顔をかたむけて、帰ってもらってくれと妻にいった。そいつのいい分を聞く用意はある。でも、といったその顔は、薄く笑ったように妻には見えた。からだが、どうにも、つらいんだと田村久志は息をついたそうだ。

話は明日にしてくれないか、と、つづけたらしい。とりあえず、明日ということにしてくれないか。

「……なるほどね」

池内暁が、左耳を触っている。花輪春彦の癖が伝染《うつ》ったようだ。

「田村が『明日』といったか」

ええ、と、花輪春彦は、池内暁に、黒いばね式帳面をひらいて見せた。薄い青の方眼用紙に、黒いボールペンで書きつけられた一文を目で読んでから、池内暁が、マスター、と、呼びかけた。前から思ってたんだけどさ。

「わりと字がへただよね」

田村久志は順調に回復した。三月後《みつき》には、豆腐屋の留守をあずけた、先代の親戚の子に電話で指示をだせるようになった。退院したのは夏だった。中村理香の実家に住まわせてもらい、リハビリに通っている。左足にはボルトが埋まっており、右には義足を装着している。まだ杖は欠かせない。失った足なのに痛みを覚える幻肢痛という症状も消えていなかった。ばかりではなく、疼痛《とうつう》はつねにあるようだ。ことに雨がふったら、いや、ふりそうになっただけでひどく痛むらしかった。田村久志といえども、たまには弱音が口をついてでるようだ。いい終えて、ゆるく笑うらしい。坪田隼雄がいうところの、「孵卵器のなかのたまごを電球に透かしたときに浮かびあがる、糸くずみたいな血管」のような笑顔である。

さて、九月。スナック「チャオ！」は開店二周年を迎えることとなった。お世話になった常連客には案内状をだしている。

九月一週の土曜日曜、開店二周年を感謝して全品半額でご奉仕させていただきます。ただし、前日金曜は、誠に勝手ながら、休みとさせていただきますので、ご了承願います。

しかし、この案内状は、例の五人以外の客にあてたものだった。同じ小学校の同級生だった例の五人と、田村久志夫妻には、べつの案内状を送っていた。

九月一週の金曜日、開店二周年を感謝して、ビールを奢らせていただきます。その夜は貸し切りにする予定ですので、玄関ドアに「CLOSE」の札がかかっておりますが、お構いなきよう。

金曜日、花輪春彦は、古着屋で見つくろった黒いタキシードを着込んでいた。

「盛装！」

いちばん乗りの池内暁が冷やかした。腕白小僧のような仕草で鼻の下を擦る。

「ぼく、こんなんでよかったの？」

連れの二瓶正克が、縒《よ》れたスーツを気にしてみせた。

「いつも、そんなんじゃないですか」

ずいぶん下の後輩に雑《ま》ぜっ返され、だよねーと、長っ細い顔をほころばせた。

「お待ちしておりました」

マスターに頭を下げられ、これはどうも、と恐縮するふうをする。

「適当に座ってよ」

カウンターの向こうから、加持千夏が、ひょっこりと首をだした。かがんでいたのだろう。立ち上がって、半身を見せる。なにやってんだよ、ちなっちゃんと軽く驚いた池内暁の耳に、手伝ってんじゃないの、と愛想なしの返事が届く。手伝ってもらってるんです、と、花輪春彦。なんだか、口裏を合わせているふうである。池内暁と二瓶正克が顔を見合わせたところで、坪田隼雄がやってきた。店内をざっと見わたし、かいがいしいね、ちなっちゃん、と鼻にかかった小声でいった。

「よく似合ってるよ、そのエプロン」

口説き文句のようなことをいう。背なかに隠し持っていた、赤い薔薇の花束を花輪春彦にわたす。そのようすを見て、二瓶正克が、ほう、と、小さく感嘆した。

「あのひとは全方位外交だ」

耳打ちされた池内暁が、

「さすがですねえ、二瓶さん」

といって、なにが？　どう？　さすがなわけ？　と訊き返されている。

「いやいや、お待たせ」

永田一太が登場した。夜の八時を少し回っている。帰りがけにクレームが入っちゃってさあ、と、上着を脱いで、壁かけハンガーにかけた。カウンターのなかにいるエプロンすがたの加持千夏に目をとめる。

「なに？　ちなっちゃん、新妻？」

といって、加持千夏の頬を染めさせた。花輪春彦に視線を移し、いーんじゃないのー、と、ボックス席に腰を下ろした。花輪春彦が加持千夏に、いいんじゃないですか、と、ささやいたら、ドアが開いた。伊吹祥子だ。かのじょはデパートのブライダルサロンに勤めている。

「やだ、最後？」

といってから、

「やだ、そういうことになってるの？」

と加持千夏を見て、いった。パンフレットを持ってくればよかったわ、と、申しひらきをしようとする加持千夏をうるさそうに押しとどめて、ボックス席につく。

「班長が最後じゃないんだよ」

池内暁がいった。

「田村がまだなんだ」

坪田隼雄が笑った。

「そう、田村が、また、『まだ』なんだ」

永田一太も笑った。早くもワイシャツの袖をまくり上げている。その胸ポケットに入れた携帯が鳴った。ディスプレイを確認して、田村だ、と口のなかでいった。

「……いやな予感がするな」

池内暁が賽子《さいころ》を転がすような手振りをする。

「またしてもってことはないだろうな」

坪田隼雄がこめかみに指をあてる。ビト・コルレオーネによく似た風情だ。

「ベタすぎるわね」

エビスビールを手酌して伊吹祥子がいえば、

「ベタにもほどがあるでしょう」

と加持千夏。いいちこのキャップをひねっている。なんのこと？　と訊ねる二瓶正克に池内暁が手短かに説明する。

「田村夫妻は遅れるそうだ」

通話を終えた永田一太が、今、タクシーに乗ったらしい、と、つづける。パンクスが金を持ってきたんだそうだ。くわしいことは聞かなかったが、と前置きして、話し込んだみたいだ。めしもくわせたらしい。

「男と男のつき合いがこれから始まる、みたいなことをいったんじゃないの？　田村」

「むしろ、ひととひととしてのつき合いだ、くらいのことはいったんじゃないか？」

「んー、ちがうなあ」

異議を唱えたのは二瓶正克だった。

「ぼくが思うに、田村くんは、たぶん」

と、ややしゃくれた顎をもったりと撫でた。黒くて太い眉をちょっと上げる。

「二瓶さん、田村のこと、知らないんですよね」

池内暁にいわれて、うん、知らないと答えている。でも、田村くんは、たぶん、そんなことはいわないと思うんだよね。

「かれは、きっと、世間話をしたんだよ」

たとえば、パンクスの勤め先の話とかさあ、といった。

「パンクスって、ビルの窓拭きをやってるんだよね」

坪田隼雄の発言を受けて、そう、そんな話と二瓶正克がうなずいた。

「風が吹いたらゴンドラが揺れるとか、あんまり高くて尻の穴がすぼまるような感じがするとかさ」

……ぼくなら、そういう話をするけど？　と、池内暁を見向く。

「二瓶さんなら、そうでしょうね」

うなずき返してから、唇を横に引き、にんまりと笑った。二瓶正克に耳打ちする。えー、ぼくが？　いうの？　と、ちょっと逡巡したのち、二瓶正克が咳払いをした。

「田村は、まだか」

といったら、一同から拍手が起こった。


そして、田村久志がやってきた。

妻にほんの少しからだをささえられてはいたものの、ほとんどひとりで歩いていた。ボックス席の、えび茶色のソファに腰を下ろす。盛装したサムライみたいに肩を怒らせ、姿勢よくしている。初めて外界に触れた赤ん坊のように、太い首をめぐらして、スナック「チャオ！」の店内を、そこにあつまった皆の顔を、遠望するように眺めわたして、破顔する。左のてのひらをミットに見立てて、右のこぶしを打ちつけた。口をひらく。

「やっと、こられた」

深みのある声だった。腹式で呼吸して、胸のなかで反響させて、すこぶるスムーズに押しだされたような声である。田村久志の声が店内に拡散した。かれの胸のなかで、かれの声が反響するように、そのときはまだ、かれにしか聞こえないはずの、声にならない声のようなものが、スナック「チャオ！」に広がり、満ちる。

「いらっしゃいませ」

ブラック・タキシードを着た花輪春彦が、田村久志に最敬礼で歓迎の意を表した。

「お目にかかれて、とてもうれしい」

ところがなんだか、と花輪春彦はかぶりを振った。わたしは、どうも。

「いまだに、『田村はまだか』といいたいような心持ちなんですよ」

田村久志は怪訝《けげん》そうに眉根を寄せた。

「田村は、おれだが？」

打ち出し太鼓のような笑声を立てる。おれが、田村久志だ。間違っちゃいないと思うけどな、と、いって、なお、笑った。中村理香も笑った。みんな、笑った。二瓶正克も笑っている。

「きみ、いい男だね」

ぼくにそっくりだといって、静まりかけた笑声を、ふたたび、沸き立たせた。

（特別収録作品）

おまえ、井上鏡子だろう

小野垣《おのがき》ハジメは息をついた。わりに重たい息だった。吐き切らないうちに信号が青に変わる。ススキノ交差点を横断しようと踏み出したら、氷水みたいな残雪で足が滑った。体勢を立て直し、また息をつく。三月四週の金曜日。時刻は午後十時前だ。

先ほど、居酒屋を出てきた。小学校のクラス会があったのだった。

旧友たちのほとんどは、あるひとりの元同級生を待っていた。その元同級生の男は、遠方より参加する予定だったのだが、荒天による交通障害で到着が遅れていた。歓談の合間合間に差し挟まれる「まだか」の声に、小野垣ハジメはいささか辟易《へきえき》した。

「まだか」の第一声を発したのは、小学生時分には腕白小僧で鳴らした男だった。さっぱりとした気性の持ち主である。この元腕白小僧がなにかいうと、皆、なんとなく愉快な心持ちになるという図式は変わっておらず、そうして小野垣ハジメは昔も今もそのムードに乗ることができない質《たち》だった。待つ者がいて、待たれる者がいる。自分は、そのどちらでもない気がする。

小野垣ハジメが一次会の席についたのは、開始時間の十分前だった。幹事から渡された名札を安全ピンで上着に留めて、次々とやってくる旧友たちに片手をあげ、こちらから挨拶したのに、お・の・が・き？　と記憶を手繰《たぐ》るような顔で名札を読まれた。小野垣ハジメは顎をちょっとひき、上目遣いで旧友たちをながめながら薄く笑った。すると、かれらはすぐに目の前の男が小野垣ハジメだと思い出したようだった。近くにいても、ほんの少し離れたところから辺《あた》りを見ている。そんな印象を周囲にあたえつづけて、今、四十歳。中堅の陶器メーカーに勤めており、役職は経理部主任だ。

交差点を渡り始めた。地下鉄大通駅まで歩くつもりだ。通勤定期を使って家に帰ろうと思っている。

広い交差点をいきかうひとびとの足取りが雨足に見えた。しとしとと歩く足あり、ざあざあと歩く足あり、樋を伝って落ちてくる雨だれのようにぽたぽたと歩く足ありの、要は雑踏。目を横にずらしたら、怪しげな足つきが小野垣ハジメの視界に入ってきた。見る者の可笑《おか》しみを誘うほどに酩酊した二本の足である。

左右の足は踏みどころをあやまたずに着地しようとがんばっているのだが、うまくいっていないようだった。足裏が道路につく前に膝の力を抜くものだから、足首がくにゃりと曲がる。夏靴をはいているのだ。

その酔っぱらいは、ひらたい箱をぶらさげていた。寿司屋のおみやの折《おり》である。わっかになった緑色のひもを持ち、べふう、と、いかにも酒臭い吐息をもらし、つまり、ご機嫌なのである。

ああ、完璧な酔っぱらいだなあ、と小野垣ハジメは思った。ドラマでもコントでもなく、寿司折をぶらさげて千鳥足で歩く酔っぱらいがこの世にはいるのだなあ。

さりげなく歩調を調整し、その酔っぱらいと速度を合わせた。へべれけの酔漢はなにをしでかすかわからないので、近づくのもじっくり観察するのも危険だ。しかし、その酔っぱらいは女だった。そんなに若くなさそうだった。短いコートの前ボタンをはめていないから、胴部がすぼまった水色のスーツが見える。膝丈のタイトスカートから肌色の足を出していた。歳《とし》のわりには真っ直ぐな足である。

「なんれすか」

長い前髪を掻き上げて、女がだしぬけに文句をつけてきた。

「酔っぱらいがそんなにめずらしいれすか」

小野垣ハジメは、やはり感慨深かった。女のろれつは回っていなく、それはまさしく酔っぱらいの口調だった。

「いえ」

小野垣ハジメは微笑した。いつもの薄笑いではなく、市井《しせい》で静かに日を送る善良な会社員、をイメージした笑顔である。

ふん、と、女は胸を張った。水色のスーツのなかは、襟が深くあいている白いブラウスだった。ブラウスか、Tシャツか、タンクトップか、小野垣ハジメには不明だったが、そんなことはどうでもよかった。女は、なかなかいい胸をしていた。「ふん」といえば「ふん」と揺れ、「でも、あたしは」といえば「でも、あたしは」と揺れるのである。体型は華奢《きやしや》なほうだ。胸が揺れると、枝もたわわという風情になる。

「ぜんぜん、酔ってませんれすし」

と、小野垣ハジメが描く正しい酔っぱらい像をきちんとなぞり、かれをますます喜ばせた。酔っぱらいなら、自分は断じて酔っていないといい張ってもらいたいものである。また、支離滅裂であるのが望ましい。

「あたしは絶対、家に帰って、洋服をたたんでタンスにしまって、歯をみがいて顔を洗って日記をつけて寝るんれすから」

女は真面目な顔をこしらえていた。その顔が厚ぼったい。化粧が白く浮いていた。深くあいた胸もとは、羽根を毟《むし》り取られた鳥のように赤かった。ぽつぽつと点を打つ毛穴が一層赤く、痒《かゆ》そうである。白い化粧の下の皮膚もきっと赤く、痒いだろう。

「これでも中学一年生のときから、毎晩、日記をつけてるんれすから」

几帳面なんれすよね、と女はいった。喉をそらせて笑い「おおっと」と派手によろける。小野垣ハジメは女の肘《ひじ》をつかんだ。女は尻餅をつかんばかりに腰を落としながらも
「お寿司、お寿司」と寿司折を気にしている。

「和尚《おしよう》巻きれえす」

小野垣ハジメに肘を持ち上げられ、ようよう体勢を立て直すやいなや、寿司折を掲げてみせる。和尚巻きは、具がタクアンの海苔巻きである。

「おばあちゃんが好きでねえ」

横断歩道を渡りきって、女がいった。老舗喫茶サンローゼの看板の前だった。

「おばあちゃん、入れ歯なもんで、ぐちゃぐちゃぐちゃぐちゃ和尚巻きをたべるもんで、きったないんれすよう」

女はひとりで笑っている。正気ではないような高い笑い声を長く伸ばし、可笑しくてならないというように腹をかかえる。笑うと、顔全体が一気に老《ふ》けた。皺や、そこに溜

まった白粉があらわになるせいだろう。

「うちの包丁が、ほら、切れない包丁じゃないれすか。和尚巻きを小さく切ってあげたいんだけど、ほら、切れない包丁じゃないれすか、うちの包丁。おばあちゃんがたべやすい大きさに切ってあげようとすると、踏みつぶした蛙《かえる》みたいにぺったらこくなっちゃうんれすよお」

小野垣ハジメは女の肘を持ったままだった。持っていないと女は地べたに腰をおろしてしまいそうだった。

「いつも包丁研ぎ機を買って帰ろうと思うんらけろ、きょうもそう思ってたんらけろ」

忘れちゃいましたあ。女は小野垣ハジメの手を振りほどいて、ばんざいをする。

「……大丈夫ですか」

小野垣ハジメはそういって、老舗喫茶サンローゼの看板をちらと見た。コーヒーでものませ、この女を少し落ち着かせたい気がした。女の声が、さしせまっているように感じられた。きりきりと巻き上げた糸の絵が、かれのまぶたの裏に浮かんでいる。糸は、たぶん、切れそうである。

女は、きっと、泣きたいのだろうとかれは察した。泣かせてやりたいとも思ったのだが、それはちょっと、と躊躇《ちゅうちょ》した。思う存分、女に泣かせてやれるような懐《ふところ》の深い男にはなれそうもない気がしたし、厄介事に巻き込まれるのは勘弁してもらいたかった。見知らぬ女とうっかりできて、つきまとわれたらかなわないと、ここまで想像が走ったのは、下心があったからだ。あわよくば、という卑しい期待だ。

女はいい胸をしていたし、いい足をしていた。老けてはいるが顔立ちだってわるいほうではない上に、千鳥足で歩くくらいに酔っている。ぐっと力をこめて持った女の肘は二の腕に近かった。思いがけないほど柔らかだった。女のからだがいつだって思いがけないほど柔らかであるとかれが知ったのは、遅まきながら二十六歳。そのときの相手が現在の妻である。

「あたし、帰れますから」

女は急に背筋を伸ばした。足もとがふらついたが、持ちこたえた。がくんと首を上下に動かし、音を立ててつばをのみ込む。口をひらいた。

「こう見えても、毎晩かならず日記をつけてるんれすから」

「中学一年のときからですね」

小野垣ハジメは、ゆっくり笑んだ。不埒《ふらち》なことなどなにも考えていませんよとアピールしたいその微笑は、若干やりすぎの感があった。口があんまりUの字になり、ほとんど滑稽だと思われる。

「そう、中学一年のときから、毎晩」

毎晩、反省することがあるんれすよね、これが。

女はそういい、小野垣ハジメに背を向けた。東のほうに歩いていく。千鳥足ではあったが、最前よりしっかりした足取りだった。

小野垣ハジメも地下鉄大通駅に向かって歩き始める。女とは直角の方向である。惜しいことをした気分になっていた。ちょっとだけ勿体なかったかもしれないというような。女の目を反芻《はんすう》する。印象深い目をしていた。

女は、始終揺れ動く半眼《はんがん》をときに大きく見ひらいた。そのとき、黒目をかこむ白目まであらわになり、睫毛《まつげ》がはえているその下の、裏まぶたの肉色が鮮明になった、と思ったら、小野垣ハジメの足が止まった。

「あ」

顔を上げた。

「井上鏡子《いのうえきようこ》?」

独白とも問いかけともつかない呟きが出る。

振り返ったら、女の後ろすがたは「かに家」の前にさしかかっていた。

「井上鏡子」

かれは再度そう呟いて、横断歩道の向こう側に視線をのべた。左手に大麦の穂、右手にテイスティグラス。ひげづらのローリー卿がかがやいている。目を戻したら、女のすがたはなかった。

井上鏡子とは、中学が同じだった。

札幌のとなり町にある中学校である。そこに親が家を建てたので、小学校卒業後の春休みに引っ越したのだった。

アマチュア無線クラブで知り合った山田真人《やまだまさと》と意気投合し、小野垣ハジメは初めて親友を得た。山田真人もひとと話をするときに、顎をちょっとひき、上目遣いで相手をながめながら薄く笑う。家が近かったので、登下校も一緒だった。部活がある日はもちろん、ない日だって、帰宅準備を早くすませたほうが相手のクラスにいき、声をかけ合っていた。教科書の貸し借りのために、授業の合間にたがいのクラスを訪問することもあった。

井上鏡子は山田真人と同じクラスだった。

だから、小野垣ハジメはかのじょの顔と名前を知っていたのだ。井上鏡子は、わりと目立つ。はなやかなムードがあり、クラス内の重要人物といったふうである。ひとりでぽつんとしているところなど見たことがない。

休み時間には、自席に座るかのじょの周りを数人の女子が取り巻いていた。井上鏡子は頬杖をついていて、女子のだれかが口をひらくたび、頭をめぐらし、そのほうを見上げた。見上げるたびに目を見ひらいた。それはかのじょの癖のようだった。

井上鏡子の目は大きい。桃の種のようなかたちをしている。円《まる》いというより球形で、目を見ひらくといよいよ立体的になる。ぽろり、と、転げ落ちそうになる。眼球が。

小野垣ハジメは、かのじょの見ひらいた目遣いを見かけるたびに、てのひらをズボンで擦ったものだった。ぬるっとしたところにずぶりと手を入れて、弾力のある濡れた球をほじくり出し、握りしめるような感触があった。

「なに、井上？」

小野垣ハジメの視線を追って、山田真人がそういってきたことがある。

「けっこう可愛いよね」

うん、と、山田真人はひとつうなずいた。いっぱしのふうに顎に手をあてる。

「目がきれいかも」

「目？」

小野垣ハジメは驚いた。

「ああいうの、きれいっていうわけ、お前」

「でかいし」

「でかいのときれいとは別じゃないですかね、山田くん」

「まあまあ、小野垣くん」

そんなにむきにならなくても、と、山田真人は小野垣ハジメの肩を叩いた。ふたりは廊下を歩き、生徒玄関に近づきつつあった。

「井上は、おれたちなんかは相手にしませんから」

と、山田真人はやはりいっぱしのふうに顔の前で手を振ってみせた。

「頭、よすぎですから」

ふだんは無口なんだけど、あいつがなんかいえばホームルームがぐっとしまりますし。宮脇《みやわき》、かたなしですから。

宮脇というのは山田真人の担任である。男の教諭だった。独身で、まだ三十にもなっていなかったと思う。

「宮脇じゃなあ」

と小野垣ハジメは下駄箱から外靴を出した。

「あの若さで七三分けだもんなあ」

「ものすごい勢いで櫛目《くしめ》、入っちゃってますし」

「どうにかなりませんか、あのMG5臭」

「……ところがですね」

山田真人が声をひそめた。

宮脇と井上鏡子の母とが怪しいとの噂があるという。ざっと見積もって歳の差およそ二十歳の不倫カップル。

「まさか」

「いや、その『まさか』が起きたという」

小野垣ハジメと山田真人は顔を見合わせ、「いやはや、たまげましたなあ」と若年寄りのごとく感想を述べ合った。

井上鏡子は、依然、目を見ひらいて女子たちの話を聞いていた。かのじょは超然としているように見えた。噂は噂。あるいは、それがどうかしたの、といっているようだった。そうして小野垣ハジメと山田真人は「たいしたもんですなあ」とこっそりいい合っていたのである。

井上鏡子は高等専門学校に進学した。

小野垣ハジメの中学校で、そこに合格した女子はかのじょひとりだった。山田真人から報告を受け、小野垣ハジメは「へえ」とやや気の抜けた声を出した。ずいぶん立派じゃないかと大げさに感心してみせるような、面白くない気持ちだった。これで受験に失敗でもすれば可愛げがあるのにということを少し、思った。

中学三年の春に、宮脇は他校へ異動となった。井上鏡子の両親の離婚はその年の秋だった。

井上鏡子はその件に関して沈黙を通したので、内実を知る者はだれもいない。かのじょの近所の女子や、PTA役員から漏れた噂を総合すると、離婚の原因はやはり宮脇であるらしかった。宮脇と井上鏡子の母とはすでに別れたようだが、しかし、井上鏡子の父にもよそに女がいたらしいのだから、込み入った話である。小野垣ハジメと山田真人は「どろどろじゃないっすか」と吐き捨てた。

「この大事な時期に」と、ふたりは憤りもした。「受験をひかえたこの時期に」と、大人の身勝手を嘆いたりもした。

ところがとうの井上鏡子はまるでへいちゃらなふうだった。遠慮がちに「ふだんどおり」に話しかける女子たちに、やはり目を見ひらいて相槌を打っていた。黒目をかこむ白目まであらわにし、睫毛がはえているその下の、裏まぶたの肉色を鮮明にしていた。

「……苗字、変わらないみたいですよ」

山田真人が肩をすくめた。

「住所は変わったみたいだから、父親側についたんではないでしょうか」

と付け加える。ほう。小野垣ハジメは眉を片ほう持ち上げた。

「つきましたか、父親側に」

「つきましたね」

ふたりは大人のように暗く笑った。実際、大人たちは井上鏡子の家庭を話題にのぼらせるとき、口のはたに陰気な微笑を浮かべていたと小野垣ハジメは記憶している。干し柿を咀嚼《そしやく》しているようだった。上顎に張りついた、ねっとりとした甘いものを舌先ではがすふうにして、ことの顚末《てんまつ》を語っていた。

小野垣ハジメは普通高校に進学した。

山田真人と連絡を取り合うことはまだあった。山田真人は、小野垣ハジメと違う高校に通っていた。どちらも中程度の高校だが、高校というものは、中程度のところで犇《ひし》めき合っているものである。

ふたりのあいだに井上鏡子の話題がのぼることはほとんどなかった。そういえば、とごくまれに思い出し、そんなこともありましたねえ、ええ、ありましたと、中学時代に凝《こ》っていた若年寄り口調に戻ったりしたが、

「どうしているんでしょうねえ、井上」

「井上のことですから、立派にやってんじゃないですか」

想像に難《かた》くないですな。いやはやまったく、といい合って、話はそれで終了となった。

小野垣ハジメにとり、かのじょはたしかに印象深い存在だったが、過去のごく小さな一点でしかない。

たとえば、ふと空を仰ぐと電線にすずめが大量にとまっていたとする。それが一斉に羽ばたいたとする。そういった映像が、いつまでも胸に残ることがある。夕暮れだったら尚更で、忙しく羽ばたくすずめの影と、たわむ電線と、赤からすみれ色に暮れていく空は、日常のひとこまとはいえ忘れがたい。

井上鏡子にまつわることは、すずめに比べれば日常度が低いぶん印象が強烈だが、それだけのことともいえる。記憶から消えはしないが、きっかけがなければ思い出さない事柄および人物である。

高校二年に進級した小野垣ハジメは少なからず驚いた。廊下でいきあった新入生の群れのなかに井上鏡子を見つけたのだ。

「あたし、やめたんだよね、高専」

井上鏡子は群れを離れ、かれに近づき、そういった。

「受け直したの、ここ」

ああ、そう、と、かれは答えた。井上鏡子の目が間近で見ひらかれた。かのじょが自分を憶えていた、そのことのほうが小野垣ハジメは意外だった。

かれが、井上鏡子と口をきいたのは、そのときぎりだった。むろん、同じ高校だから見かけることもあるし、廊下ですれ違うことは何度かあった。しかし、かれからは話しかけなかったし、井上鏡子も話しかけてこなかった。むこうから先に無視してきたように小野垣ハジメは思っている。中学時代との関わりを絶ちたいのだろうと解釈した。

井上鏡子は、やはり目を見ひらいて連れ立つ女子の発言に相槌を打っていた。その目がきれいだという者が小野垣ハジメのクラスにいて、交際を申し込んだと聞いたことがある。ふたりが交際をスタートしたかどうかは憶えていない。

あくる年、井上鏡子は高校をやめた。そのことを、小野垣ハジメは山田真人からの年賀状で知った。「あけましておめでとう」の下に小さな字で書いてあった。さらにつづけて、「伝聞情報によりますと、井上は家出などを繰り返し、学校も休みがちだったみたいです」と認《したた》められていた。「現在、おばあさんの家にいる模様」。

山田真人とは年賀状だけの付き合いになった頃、小野垣ハジメは結婚した。二十七歳だった。浮気のチャンスはその一年後にやってきた。パートの人妻が辞めるとき、会社のとは別に（ということは、ふたりきりの）送別会をしてくれませんかと囁《ささや》かれたのである。

小野垣ハジメはかのじょをおでん屋に連れていった。たまごが旨いと評判のおでん屋である。そこのたまごは半熟なのだそうである。真っ白で、ふたつに割ると橙《だいだい》色に近い黄身がとろりと流れる。澄んだ薄味のおつゆをからめて、はふっと啜《すす》ると、口のなかが、はふっと熱くなる、と情報誌に書いてあった。ふたりはおもにおでんについて意見を交換した。かのじょはこんにゃくとはんぺんが好きだといい、小野垣ハジメは大根とたまごが好きだといった。ちくわぶはどうも、という点で両者の嗜好は一致したのだが、本題にはまだ入っていなかった。

パート人妻の先導で二軒目にいった。かのじょは小野垣ハジメより五、六歳年上だった。なにかにつけ、小野垣ハジメを可愛い、といっていた。かれのボールペンの持ち方がちょっと変なこと。ネクタイに蕎麦《そば》つゆの染みがついていること。それらを指摘したら、上目遣いで薄く笑ってみせること。（カッコつけちゃって、もう）

おでん屋を出るさいに化粧直しをしたパート人妻の唇がべったりと光っていた。子どもがあめ玉を盛大にしゃぶったあとのような光り方だった。

かのじょが案内したスナックのママは、五十を軽く越していた。ふたりのほかに客はなく、ママは分厚いファイルを広げ、顧客にハガキを書く仕事に没頭していた。

ふたりはカウンターのはしに座った。小野垣ハジメは細長い天板に肩をややすぼめて両肘をついていた。おでん屋で焼酎のお湯割りを一杯、呑んだ。だから、あとウイスキー水割りの一杯も呑《や》れば限界である。なるたけ、ゆっくり、この水割りを呑もうと小野垣ハジメは思っていた。先に酔ってしまっては、元も子もない。

もっとも気になったのは、カウンターに、くの字に乗せた、かれの肘の角度だった。ひらいたら、パート人妻の肘に触れる。それは右肘である。左肘のほうには大ぶりの花瓶があった。安っぽい造花が埃《ほこり》を載せて、てんこもりになっている。

「おかわり」

からのグラスを持ち上げて、パート人妻がママに目で合図をした。ママは「あら、すいません」と会釈して、造花のほうを見た。造花の後ろから別の女がすうっと現れた。若くもなかったし、愛想のいい女でもなかった。パート人妻のグラスを取って、おかわりをつくり始める。スーパーニッカのキャップをふしの立った指でひねり、だぶだぶとグラスに注《つ》いだ。

女からグラスを受け取り、パート人妻は「ありがと」というふうに顎でうなずいた。

指先でグラスの氷をひと撫でしてから啜った。頬杖をついて、ため息をもらす。

「どう、します？」

小野垣ハジメの鼓動が跳《は》ねた。こくのある、わりに深い感じのひと打ちだった。パート人妻は頬にかかった髪を耳にかけ、斜め下方から小野垣ハジメを掬《すく》い見て、つややかな唇を結んだまま、くすりと笑った。可愛い、と聞こえよがしにひとりごちる。膝をくっつけてきた。肩もくっつけてきて、

「今がいちばん大事だと思いませんか」

と、小野垣ハジメの耳に囁き、からだを離す。が、膝はつけたままだ。つけたままというより、もはや押しつけているという感じ。

「そうかもしれませんね」

小野垣ハジメは頬杖をついて、パート人妻を見た。頬杖をついた手は左。右手は上着のポケットに入れた。だから、小野垣ハジメは幾分からだをひらいてパート人妻を見ているということになる。

かのじょは、もはや、目で会話する態勢に入っていた。そうして、その目は濡れていた。ふとももを擦り合わせるようにして、幾度も座り直している。小野垣ハジメは「ふつうの顔」をつくろうと少し苦労した。放っておくと顔の筋肉がゆるみ、舌なめずりし

そうになる。このスナックの支払いをすませても、財布のなかみは三万円をくだらない。へそくりの社内預金をおろしてきたのだ。

「あたし、ちょっと」

パート人妻が席を立った。手洗いはいったん店をでて、フロアのはしまでいかなければならないようだ。

小野垣ハジメは、かなり薄まった水割りで喉を湿《しめ》らせた。かれの頭のなかは「この次」に移っている。パート人妻が戻ってきたら「いこうか」とひとことといえばいい。問題はいき先である。うっすらと予期していたものの、男女が二時間いくらで性をかわせる宿の情報までは収集していなかったのだ。いや、その前に、と、小野垣ハジメは思い立った。会計をすませておこう。かのじょが席をはずしているあいだに金銭授受といった野暮な用件は片付けておいたほうがスマートではないか。

「会計」

と、かれはカウンターの内側に声をかけた。ママはハガキ書きを継続していたが、造花の陰からべつの女が首を出した。

金額を書いた紙片を小野垣ハジメに渡す。かれが一万円をさしだすと、黙って受け取り、レジを打つ。

「……タクシーの運転手さんに訊けばいいわ」

「え」

「ホテル」

口のはたを片ほう持ち上げ、女がいった。千円札に硬貨を幾つか、のせている。

「どこかいいとこ、っていえばいいのよ」

女はやはり皮肉っぽい微笑を浮かべていた。大きな目だが、まぶたを半ば下げているので、眠たげに見える。お釣りを小野垣ハジメに渡し、

「でも、やめといたほうがいいと思うけど」

と真顔に戻した。声を放つ。

「あなた、つまらないもの」

小野垣ハジメは顎を上げた。釣り銭の額を確認していたところだった。

「そうですかね」

紙幣と硬貨をズボンのポケットに急いで突っ込む。なるべく奥まで入れようとしていたら、女がまた声を放り投げてきた。

「つまらないひとは、退屈な人生を送ったほうがいいのよ。そのほうが安全なのよ」

「退屈な人生ね」

小野垣ハジメは若干肩をそびやかした。それから、顎をちょっとひき、上目遣いで女をながめる。つねよりくっきりとした薄笑いを頬にのぼらせた。

「なるほどね」

ほぼ水といっていい水割りを呑み干した。

「ぼくには冒険が似合わないということですか」

グラスを置いて、腕を組む。

「あなたはさぞ派手な人生を送っているんでしょうね」

恐れ入りましたというふうに頭を軽く下げてみせた。腹のなかでは、飯ではなく菓子で腹をみたすような毎日を暮らしているのだろう、この女は、といっている。

女がゆっくりと顔をかたむけた。首筋に手をもっていき、そこが凝ってかなわないというように揉み始める。やあね、と小野垣ハジメをながめわたし、

「あたしもつまらないほうだからよ」

と視線をはずした。その横顔を小野垣ハジメはじっと見た。案外、若いのかもしれない。顔立ちはわるくなかった。昔はさぞ美人だったのだろうと、すでに過去のこととして処理されるような、実際以上のときの流れを感じさせる顔である。肌つきが、いかんともしがたい古さだった。不摂生がたたっているにちがいない。それはそれで構わない

としているようすだった。

「きょうで辞めるのよ、ここ」

ああ、そうですかと小野垣ハジメは棒読みで答えた。だからといって、客にいいたい放題いっていいことにはならない。ママもママだ。従業員の暴言をたしなめるくらいのことはしてもよかろう。きょうで辞める女が、さして大事でもない客にいうことだと放っておいているのか。ママは、スプレーで固めたパーマ頭にボールペンの尻を入れ、頭皮を掻いている。

「……なんかこう、間違っちゃったのよね」

女は自嘲という笑い方をした。

「対応とか、方向とか、まあ、全体的に」

きっかけなんて、たいしたことじゃなかったのよ。今にして思えばね。よくあることよ。でも、ひとに気にかけられるのが、うざったくてね。ほんとうはだれもあたしのことなんて気にしてないのに、と短く息をついた。自意識過剰、と、また笑う。自信も過剰。

「あたし、なんでも上手にできると思ってたの」

たったひとりでもね。

女に見つめられ、小野垣ハジメの唇が動いた。ひと差し指を立てたものの、空《くう》を指すきりだった。反論しようと思ったのだ。あるいは、もしかしたら、慰めようとしたのかもしれない。

「なにかいおうと思ったんでしょ」

女がいった。

「でも、なんていっていいのか、わかんないんでしょ」

目を見ひらく。ぽろり、と、眼球が転げ落ちそうなほど、大きく。

「ごめんなさい、遅くなって」

パート人妻が戻ってきた。スツールに腰かけようとする。それを制して小野垣ハジメはこういった。

「じゃ、いこうか」

パート人妻は、しとやかにうなずいた。スナックを出る。ママと女が「ありがとうございました」と声をそろえた。ママの声はとってつけたような上機嫌で、女の声には抑揚がなかった。

エレベータが上がってきて、ドアがあいた。7・6・5・4。小野垣ハジメは通過階の表示板を見上げていた。3・2・1でまたドアがあく。

うまい具合にビルの前にタクシーが停まっていた。小野垣ハジメはパート人妻の背中に手をあて、個人タクシーに乗り込ませる。運転手さん、と声をかけた。掠《かす》れた声になった。

「どこか、いいところにお願いします。こう、ゆっくりできるような」

運転手はミラー越しに仏頂面でうなずいた。タクシーが走り始める。パート人妻は早くもかれにしなだれかかっていた。たいそう、よいにおいがした。ふっくらとした甘いにおいだ。かのじょの髪の毛に触れようと指を伸ばし、

「あ」

小野垣ハジメは小さく声をあげた。呟きが口をついて出る。井上鏡子。あの女は井上鏡子だった。

風呂からあがった小野垣ハジメは爪切りを探している。妻に訊くと「耳かきのあるところ」だという。「そこはどこだ」と確かめたら、「サイドボードの引き出しのどこか」と答えた。

小野垣ハジメはバスタオルで短い頭髪を拭きながらしゃがみ、サイドボードの引き出しをあけていった。三段目に入っていた爪切りを手に、

「新聞」

といったら、

「きょうのは使わないでよ」

という返答だ。まだ読むかもしれないし。きたないじゃないの、とつづく。

「どこだよ」

「きのうのはそこにあるじゃないの、ほら、テーブルの下」

小野垣ハジメは土曜の朝刊をセンターテーブルの下からひっつかむ。適当にばさりとひらく。「爪、飛ばさないでよ」とテレビを観ながら妻がいった。子どもは自室にこもっている。

（つまらないひとは、退屈な人生を送ったほうがいいのよ。そのほうが安全なのよ）

井上鏡子のことばが胸によぎるのはこんなときだ。おかげさまでというか、なんというか、妻を裏切ることなく結婚十四年目を数える。パート人妻とは、結局、なにもなかった。タクシーの運転手にいき先の変更を告げ、家まで送り届けただけだった。それでよかったと思っている。あとになって、同期のひとりが、やはりパート人妻に「ふたりだけの送別会」を持ちかけられたと聞いた。

いい音を立てて左手の爪を切っていたら、井上鏡子の声が耳のなかで再生された。

（こう見えても、毎晩かならず日記をつけてるんれすから）

小野垣ハジメは洟《はな》を啜るようにして息を吸った。

井上鏡子とは、大人になってから二度遭った、と思っている。

二度目は、小学校のクラス会に出席した夜だった。

遠方より参加する元同級生の到着を、皆で今か今かと待ちつづけた夜である。ただし、待っていたのは、小野垣ハジメ以外だったと注釈がつくのだが。

あれからおよそひと月経った。

以来、小野垣ハジメは、井上鏡子との三度目の偶然がいつくるかとたまに思うことがある。会いたいという強い気持ちはない。しかし、きっとまた、どこかでひょっこり遭ってしまうのだろうなという淡い予感があるのだった。

どうしているんだか、井上鏡子。小野垣ハジメはすずめの羽ばたきを思い起こすように、かのじょを思う。すずめの羽ばたきよりは、感情をともなって思った。感情の水かさは増していくが、しかし、いっぱいにはならない。胸のうちからは決してあふれない。ただ、ひたひたと水位を上げ、かすかに波立つだけである。

右手の爪を切り終えた。今度は足。あぐらをくずして、右足を新聞紙に乗せた。腹をかがめて足の親指の爪を切る。足の爪はかたく厚いので、手の爪より明瞭な音が立つ。

切った爪の一片が、広げた新聞紙よりも遠くに飛んだ。小野垣ハジメはしぶしぶ尻を動かす。広げた新聞紙に置いたかかとを前方にずらし、腕を伸ばして爪のかけらを拾った。もとの姿勢に戻る。爪切りを再開する。さっきより注意深く切る。

適当にひらいた新聞の片面はお悔やみ欄だった。小野垣ハジメはそこにかかとを乗せていた。かかとの下に井上鏡子の名があったのだが、かれは気づいていなかった。

井上鏡子さん（40）。その名前に真っ黒な傍線が引かれている。氏名を含めてわずか三行の告知である。18日死去、喪主・祖母政子さん（葬儀終了）で終わっていた。その三行を小野垣ハジメのかかとが踏んでいた。

注意深く切ってはいるが、足の爪というものは、なぜか遠くに飛ぶのである。小野垣ハジメはときに爪切りを中断して、爪のかけらを拾った。拾うたびにかかとを摺《す》るので、井上鏡子の死亡告知が縒れていく。左の足の小指を切って、爪切りが完了した。小野垣ハジメは新聞紙の両端を持ち上げて、折り目のところに爪をあつめて、くずかごにそうっと捨てる。

そうっと捨てたら、新聞紙に用はない。もとの四つに折り、センターテーブルの下に置いた。そのとき、井上鏡子の見ひらいた目が、かれの脳裏に大写しになった。つづいて、かがやくローリー卿が浮かぶ。

小野垣ハジメは割合長いまばたきをした。

どこでどうしているんだか、井上鏡子。

今頃、なにをしているのやら。

かれは、もうほぼ乾いた短髪をバスタオルで擦り立て、口もとをゆるめた。薄笑いではなかったし、目つきだって上目遣いではなかった。

今度かのじょとどこかで出くわしたら、と思っていた。今度はちゃんと気づきたい。井上鏡子が目を見ひらいたら、我慢しなくていいという。泣きたかったら泣けばいいとこちらがいっても、たぶん、あいつは皮肉っぽく笑うだろうが、それでも一向構わないと小野垣ハジメは考える。待つ者は、きっと待たれる者である。井上鏡子は、待っているにちがいない。だって、ほら、いってたじゃないか。

（ほんとうはだれもあたしのことなんて気にしてないのに）

男とか女とかそういうややこしいのは抜きにして、おまえを気にかけているやつが、少なくとも、ここにひとりいる。小野垣ハジメは最初のことばを用意した。口のなかでいってみる。おまえ、井上鏡子だろう。

解説

米光一成《よねみつかずなり》
（立命館大学映像学部教授）

読み終わってから二日間ずっと微熱。頬が紅潮している。この本のせいだ。

世界が一瞬にして違ってみえる奇跡のような瞬間がある。この小説から言葉を引用すれば〝目に見えるもの全部に、ぱっと、きれいな色がついたんだ。そういうときってあるんだよ、あんた、わかるかい？〟、そんな瞬間だ。

奇跡は誰にでも訪れる。「まだない」という若い人は、きっとあるから楽しみにしているといい。

でも扱いがやっかいだ。奇跡って、その場ではたしかに奇跡。なのに（いや「だからこそ」と言うべきだろうが）、あとから同じようにして呼び起こすことはできない。同じ人、同じ場、同じ動き、同じ言葉を、正確にまた繰り返したとしても、それは奇跡ではない。映像が残っていてもムダ。ただの再現だ。

同様に、自分が感じた奇跡をまるごと人に手渡すこともできない。「文化祭でこんなことがあって、もう、わーってなって、みんな泣いちゃって！」たいていは、その時の感激すらも伝わらない。よくて、感激していることを熱心に話しているあなたの様子に心動かしてもらえるぐらいだろう。

手渡されるのは、ガラクタになってしまった奇跡の残骸でしかない、ということは多々ある。

では、小説はどうなのか。どうあがいても、言葉による何かの呼び起こしにすぎないのだろうか。奇跡の残骸以上にはなりえないのか。そんなことはない。そんなことはないという、わたしにとっての証拠が、ここにある。この本がそうだ。

小説は、ただの活字の羅列じゃない。作者が文字を綴り終えて印刷されたものが「小説」か？　違う。誰かが読んで、読んだ者が活字の羅列から何かを立ち昇らせた時にはじめて、それは「小説」となる。小説の体験となる。

そうでなければ、その場、その瞬間にしか起こりえない「奇跡」を、小説は起こしえないことになってしまう。

言葉を精密に扱うならば「偉大な小説」があるのではなく、「偉大な小説体験を引き起こす小説」しか存在しえないのだ。

ちぇっ。

この、まだ続いている微熱の理由を説明しようと思ってるだけなのに、なんだか大袈裟な書きっぷりになってきた。そんな印象を与える小説ではない。どちらかというと大袈裟なことは起こらない。

全六話の連作短編だ。

札幌ススキノ、スナック「チャオ！」の店内。クラス会の三次会。五名の男女が、遠方より遅れて参加する田村久志を待っている。「田村はまだか」とつぶやきながら。

『ゴドーを待ちながら』なら、ゴドーはやってこない。田村はやってくるか、こないのか。ここでは書かない。まだ読んでない人もいるだろうから、ねんのため書かない。

書いてもいい気はする。くるかこないかでひっぱる小説ではないからだ。でも、まあ、どうなるのかという楽しみもある。だから書かない。

無数にそういった楽しみが潜んでる。連作のつながりや、そこにひそむルール。表現の変化。時間経過の描写。五人の呼称。視点の動き。次はどの手でくるだろうかという楽しみがある。

もちろん物語の骨もすごい。むずかしいことを気にせず存分に味わえる小説だ。大人のエンタテインメント小説。ガッツリと人生の機微を味わえる。細部がそれを支えるものとして機能しているから、丸ごと味わうように読めばいい。言い忘れちゃいけない、吉川英治文学新人賞受賞作品だ。

選評を引用しよう。

浅田次郎〈来るべき人間がなかなか来ないという、ある不安定な時間に想像力を働かせた小説で、この設定ひとつにしてもまことセンスがよい〉

高橋克彦〈超大作に堂々比肩して輝きを放つ連作短編の存在。その凄さに私は重きを置いた。きりりとした短編の切れ味をもっと多くに知らしめたいという思いもあった〉

伊集院静〈どこにでもあるようなちいさな存在である人の集まりに、誰でもが経験し、大切にしてきた記憶があり、その時間に奇妙なかがやきがある。それが人間、群像であるということを作者は心得ている。いや信じているのではなかろうか〉

宮部みゆき〈自分だったらどう書くかという議論にまで発展し、それだけ内圧の高い作品だったということです〉〈小説でないと書けないものを書いた素敵な小説です〉

大沢在昌〈心の内側のヒダを爪でひっかいてくるような感触があり、それが不快ではない。作者独特の才能といえるだろう〉

そう、痛いところをつく小説だ。そこを言っちゃうか。指摘しちゃうのか。

たとえば第三話。

加持千夏は男子高の保健教員だ。

〈まだ、満三十四歳だと思っている。しかし、この「まだ」は、高校生には通じないようだった〉

うむ。しかも、こう続く。

〈かれらにとって、かのじょはとっくにおばさんで、授業をおこなう教員よりも心やすく口をきけ、からかうことができる存在であるらしい〉

さらに、こうくる。

〈からかうことができるのは、と、加持千夏は思いをめぐらす。おばさんでありながら、胸の奥に「まだ」という気があることを見透かされているからだろう〉

うむ。

自分でも薄々気づいていたけど、あまり直視しないでいたのに。やりすごしていたのに。そういうところをついてくる。

もうひとつ。たとえば第四話。

〈女が意を決したように、かれの肩に頭をちょこんと載せてくる。三十女の「ちょこん」は重い〉

うむむ。

文庫化特別収録作「おまえ、井上鏡子だろう」でも絶妙なタイミングでこのフレーズ。

〈腹のなかでは、飯ではなく菓子で腹をみたすような毎日を暮らしているのだろう、この女は、といっている〉

もうひとつついこう、第二話。

上司の石田康夫の説教が続く。場所は、焼鳥屋だ。若者は、〈向こう見ずでがむしゃらで生意気なぐらいで丁度いい〉という主張に対して、若い語り手は考える。

〈そういうやつはサラリーマンをやらないんじゃないのかと思った。会社というところはそこまで懐が深くないんじゃないのか。石田康夫が丁度いいといっているのは、かれがてのひらで転がせるほどの向こう見ずでありがむしゃらであり生意気なのだ、たぶん〉

うむ。

上司に対するこの指摘は、語り手自身に跳ね返ってくる。サラリーマンである自分は、上司にとって丁度いいヤツになろうとしているんだ、ということに彼は気づいている。意識に上ってこようとしたら、バカな笑いでまぎらわせていた、そこを、ズバリと書いちゃいますか。そして、読んじゃいますか、わたしは。

そうなのだ。読んでしまうのだ。

いやな感じがしない。不快ではない。

指摘されて、いっそすがすがしい。

批判や批難じゃない。馬鹿にされたのでも、自嘲でもない。

なんだろうな。

この感じは、なんだろう。

そうだな。

勇気。

いや、曖昧で複雑な気持ちを平凡で退屈な二字に押し込めるのはどうかと思うけど、でもやっぱり、一番近いのは、勇気。というか、今後、この気持ちを勇気と呼ぶことにしよう。

なんていうか。本音で語りあえる友達がいて。その日は、またそいつ調子よくて。ずばずばと痛いところをついてくる。おいおい、そこまで言いますか。じゃあ、こっちも言うけどさ。お互いに、ずけずけと言い合って、でも、心地よい。切り捨てるんじゃない。抱えていることをしっかりと理解しあっている。よし、明日もいっちょがんばりますか。って気持ちになる。

勇ましい気持ち。

これが、笑えるうちは、だいじょうぶ。自分たちをまだ信じられる。痛いところもあるけれど、だいじょうぶ。

意識しないようにしてた、そこのところを、ちゃんと意識して、でも、やるんだよ、って気持ち。

いろいろあることを見ないようにして、見せないようにして、「がんばれ」とか「そばにいるよ」とか、誰でも言える、誰にでも通じる、取り替え可能な、ただの甘いせりふではない。たんなる励ましではない。

苦い。痛い。

でも、それは、わたしが、しっかりと抱えていくべきことなのだ。

だから、もしかしたら、若いひとにはピンとこないんじゃないかとすら思う。まあ、わたしたちぐらい年を経てないと、この小説は実感としてはわかんないんじゃないの、とか言いたくなる。と、同時に、でも、わかるコには、わかっちゃう真実でもあるよねと思う。若い者を見くびってはいけない。年を取ることを過信してもいけない。年取ってもわかんないやつはわかんないだろう。

いくつだろうと、これを持っていよう。

わたしの、まだ、続いているこの火照りは、勇気の微熱だ。

二〇〇八年　光文社刊
短編「おまえ、井上鏡子だろう」二〇〇八年　柏艪舎刊
『ｕｔａｇｅ・宴　北の作家　書下ろしアンソロジーｖｏｌ．１』より

光文社文庫

田村《たむら》はまだか

著者 朝倉《あさくら》かすみ

2010年11月20日 初版1刷発行
2011年8月20日 9刷発行

発行者 駒井稔
印刷 慶昌堂印刷
製本 榎本製本

発行所 株式会社 光文社
〒112-8011 東京都文京区音羽1-16-6
電話 (03)5395-8149 編集部
8113 書籍販売部
8125 業務部

ISBN978-4-334-74869-2 Printed in Japan

組版 慶昌堂印刷

お願い　光文社文庫をお読みになって、いかがでございましたか。「読後の感想」を編集部あてに、ぜひお送りください。
このほか光文社文庫では、どんな本をお読みになりましたか。これから、どういう本をご希望ですか。どの本も、誤植がないようつとめていますが、もしお気づきの点がございましたら、お教えください。ご職業、ご年齢などもお書きそえいただければ幸いです。当社の規定により本来の目的以外に使用せず、大切に扱わせていただきます。

光文社文庫編集部

日本ペンクラブ編 名作アンソロジー

五木寛之選　こころの羅針盤《コンパス》

西村京太郎ほか　殺意を運ぶ列車

唯川　恵選　こんなにも恋はせつない〈恋愛小説アンソロジー〉

江國香織選　ただならぬ午睡〈恋愛小説アンソロジー〉

小池真理子・藤田宜永選　甘やかな祝祭〈恋愛小説アンソロジー〉

川上弘美選　感じて。息づかいを。〈恋愛小説アンソロジー〉

西村京太郎選　鉄路に咲く物語〈鉄道小説アンソロジー〉

宮部みゆき選　撫子《なでしこ》が斬る〈女性作家捕物帳アンソロジー〉

石田衣良選　男の涙 女の涙〈せつない小説アンソロジー〉

浅田次郎選　人恋しい雨の夜に〈せつない小説アンソロジー〉

日本ペンクラブ編　犬にどこまで日本語が理解できるか

日本ペンクラブ編　わたし、猫語《ねこご》がわかるのよ

明野照葉　赤道
明野照葉　女神
明野照葉　降臨《こうりん》
明野照葉　さえずる舌
あさのあつこ　弥勒《みろく》の月
あさのあつこ　夜叉桜
有吉玉青　ねむい幸福
有吉玉青　月とシャンパン
井上荒野　グラジオラスの耳
井上荒野　もう切るわ
井上荒野　ヌルイコイ
上田早夕里　美月の残香
上田早夕里　魚舟《うおぶね》・獣舟《けものぶね》
江國香織　思いわずらうことなく愉しく生きよ
江國香織 選 日本ペンクラブ 編　ただならぬ午睡
大崎　梢　片耳うさぎ
小川内初枝　恋愛迷子

恩田　陸　劫《こう》尽《じん》童《どう》女《じょ》
角田光代　トリップ
桐生典子　抱擁
桐生典子　金色の雨が降る
小池昌代　屋上への誘惑
小池真理子　殺意の爪
小池真理子　プワゾンの匂う女
小池真理子　うわさ
小池真理子　レモン・インセスト
小池真理子・藤田宜永 選 日本ペンクラブ 編　甘やかな祝祭
近藤史恵　青葉の頃は終わった
酒井順子　女子と鉄道
佐野洋子　アカシア・からたち・麦畑
篠田節子　ブルー・ハネムーン
篠田節子　逃避行
篠田真由美　すべてのものをひとつの夜が待つ
菅　浩江　プレシャス・ライアー

光文社文庫

永井愛　中年まっさかり
長野まゆみ　耳《みみ》猫《ねこ》風信社
長野まゆみ　月の船でゆく
長野まゆみ　海猫宿舎
長野まゆみ　東京少年
新津きよみ　彼女たちの事情
新津きよみ　ただ雪のように
新津きよみ　氷の靴を履く女
新津きよみ　彼女の深い眠り
新津きよみ　彼女が恐怖をつれてくる
新津きよみ　信じていたのに
新津きよみ　悪女の秘密
新津きよみ　星の見える家
新津きよみ　ママの友達
仁木悦子　聖い夜の中で　新装版
乃南アサ　紫蘭の花嫁

林真理子　天鵞絨《びろうど》物語
林真理子　着物の悦び
林真理子　「綺麗な人」と言われるようになったのは、四十歳を過ぎてからでした
藤野千夜　ベジタブルハイツ物語
前川麻子　鞄屋の娘
前川麻子　晩夏の蟬《せみ》
前川麻子　パレット
前川麻子　これを読んだら連絡をください
松尾由美　銀杏《いちょう》坂
松尾由美　スパイク
松尾由美　いつもの道、ちがう角
松尾由美　ハートブレイク・レストラン
三浦綾子　新約聖書入門
三浦綾子　旧約聖書入門
三浦しをん　極め道
光原百合　最後の願い

読み継がれる名著

〈食〉の名著

- 吉田健一　酒肴酒
- 開高健　最後の晩餐
- 開高健　新しい天体
- 色川武大　喰いたい放題
- 杉浦明平　カワハギの肝《きも》
- 勝見洋一　怖ろしい味
- 勝見洋一　匂い立つ美味 もうひとつ
- 沢村貞子　わたしの台所
- 八代目坂東三津五郎　八代目坂東三津五郎の食い放題

数学者の綴る人生

- 岡潔　春宵十話
- 遠山啓　文化としての数学
- 広中平祐　可変思考

名写真家エッセイ集

- 森山大道　遠野物語
- 荒木経惟　写真への旅

吉本隆明 思想の真髄

- 吉本隆明　カール・マルクス
- 吉本隆明　初期ノート
- 吉本隆明　読書の方法 なにを、どう読むか
- 吉本隆明 辺見庸　夜と女と毛沢東

光文社文庫